Y0-BSL-369
SACRAMENTO, CA 95814
4/2016

WITHDRAWN FROM COLLECTION
OF SACRAMENTO PUBLIC LIBRARY

СЕКРЕТЫ РУССКОЙ ДУШИ

Андрей ГЕЛАСИМОВ

Десять историй о любви

МОСКВА
2015

УДК 821.161.1-32
ББК 84(2Рос=Рус)6-44
Г31

Оформление серии *А. Саукова*

Иллюстрация на переплете *И. Хивренко*

Геласимов, Андрей Валерьевич.

Г31 Десять историй о любви / Андрей Геласимов. — Москва : Издательство «Э», 2015. — 288 с. — (Секреты русской души. Проза Андрея Геласимова).

ISBN 978-5-699-83869-1

Конечно, эти десять рассказов Андрея Геласимова — о любви. О любви мужчины и женщины. О любви современной. О любви вечной.

Конечно, эти десять рассказов Андрея Геласимова — не только о любви: о чувстве вины, о предательстве, о жалости, о памяти, о страхе, о воскресении.

Конечно, исполнены эти десять рассказов Геласимова блестяще: каждый из них — аккорд. Вот в «Филомеле» нижний звук — это древнегреческий миф, средний — его новогреческое переложение, верхний — невольная российская интерпретация. И звучит книга как оркестровая концертная сюита.

УДК 821.161.1-32
ББК 84(2Рос=Рус)6-44

ISBN 978-5-699-83869-1

© Геласимов А., текст, 2014
© Оформление. ООО «Издательство «Э», 2015

ФИЛОМЕЛА

На регистрации рейса она так и не появилась. Гуляев прождал ее до самого последнего чемодана, канувшего в багажную Лету, психанул и швырнул паспорт на стойку.

— Поосторожней, пожалуйста, — строго посмотрела на него девушка в красивой униформе.

— Извините, — буркнул он и уставился на сияющую за спиной девушки гигантскую рекламу мобильного оператора.

Ни на один из его десяти нервных звонков Ольга до сих пор не ответила.

Передавая Гуляеву посадочный талон, девушка в униформе обвела карандашом его место в самолете и номер выхода.

— Поторопитесь, посадка скоро закончится.

На паспортном контроле он сообразил, что Ольга могла зарегистрироваться прямо из дома, не предупредив его. Сюрприз — это было в ее стиле. Хмурый пограничник за стеклом в этот момент как раз вглядывался в его лицо, а Гуляеву нестерпимо захотелось вырвать свой паспорт у него из рук и побежать обратно к стойке регистрации. Девушка в униформе со стопроцентной уверенностью знала имена всех зарегистрированных пассажиров.

— Очки снимите, пожалуйста, — сказал пограничник.

Гуляев прикупил эти солнцезащитные очки в Нью-Йорке, выложив за них далеко не профессорские четыреста долларов, поэтому зачастую они теперь надевались как бы сами собой — и не всегда в тех местах, где темные очки предполагались.

Ольгу, кстати, они бесили. Безошибочным женским чутьем она откуда-то знала, что куплены они были не просто так. Гуляев тогда действительно прицелился на одну славную аспиранточку из Питера, которая работала над своим диссером в Бруклинской библиотеке, однако выпендреж с очками ему не помог. Аспирантка лишь хмыкнула в магазине и в ресторан с ним уже не пошла.

— Счастливого полета, — сказал пограничник, положив перед Гуляевым его паспорт и нажимая на кнопку, с негромким гудением открывшую низенькую металлическую дверь.

Путь назад был отрезан.

В самолете Гуляев последовательно помог двум некрасивым женщинам и одному неловкому старичку поднять и затолкать их тяжеленную ручную кладь на багажные полки. Не отличаясь филантропическим складом, он просто спешил пройти дальше по проходу, забитому копошившимися вокруг своего багажа пассажирами. Передние ряды кресел были все уже заняты, но Ольгу в этой счастливой курортной толпе Гуляев не обнаружил. Он прошел мимо своего ряда, почти до самых туалетных комнат, потому что к сорока пяти годам был сильно подслеповат, и, чтобы разглядеть лица сидящих, немного даже склонялся в их сторону. В хвостовой части самолета Ольги тоже не оказалось.

Усевшись наконец на свое место, Гуляев почувствовал себя обманутым, нахохлился и раздраженно стукнул пластиковой шторкой иллюминатора. Ему не хотелось ничего видеть.

— Шторочку поднимите, пожалуйста, — ласково, но настойчиво склонилась к нему стюардесса, затянутая в черный костюм.

Гуляев покосился на ее изящную головку и черную пилотку, кокетливо сдвинутую набок. Гладкие и блестящие волосы у стюардессы были убраны как у мертвых невест во втором акте «Жизели», двумя полукружьями почти полностью скрывая уши.

— При взлете иллюминаторы должны быть открыты, — сказала она.

Улыбка девушки напомнила Гуляеву одну из его недавних и очень красивых дипломниц.

— Извините, — вздохнул он и поднял серую шторку.

Пока летели до Кипра, он все пытался разглядеть эту улыбчивую виллису получше, но она призрачной рыбкой проскальзывала по салону мимо, растворяясь в мутноватой пелене его близорукости. Гуляев давно подумывал насчет обычных очков с диоптриями, однако всякий раз откладывал поход к окулисту. Дамы на кафедре и в деканате любили намекнуть ему, что на фоне своей ровесницы-жены он все еще выглядел очень даже себе комильфо, поэтому очки он пока считал не вполне уместной приметой возраста.

Отель «Элизиум» встретил Гуляева роскошной пустотой коридоров. Это была дорогая гостиница, и даже сейчас, ночью, в отсутствие разодетой в элегантные костюмы богатой публики, населявшей основное здание и несколько индивидуальных вилл со своими бассейнами, тут царил устойчивый аромат вечного счастья. Оно, это счастье, не просто поселилось здесь — оно застыло в самых приятных глазу и телу формах, не желая и, судя по всему, не имея причин покидать это благословенное место.

Просторное фойе было украшено фреской протяженностью метров в пятнадцать-двадцать. Нежные и воздушные девушки на фреске изображали собой девять классических муз, каждая из которых была обозначена соответствующей подписью на древнегреческом языке. Ряды строгих колонн из мрамора обливал мягкий золотистый свет плоских люстр, свисавших с потолка на покрытых позолотой цепях. У каждой колонны стояли большие керамические сосуды в форме античных пифосов. В каждом сосуде застыло по вечнозеленому и вечносчастливому растению. Вся мебель в фойе, включая стойку администратора, была выполнена под девятнадцатый век. Массивные кожаные кресла и уютно потертые диваны стояли на таких же потертых старых коврах. Здесь, в этой гостинице, легче всего и, пожалуй, естественнее, чем где бы то ни было, произносилась расхожая фраза «Все хорошо». На тумбочках и подставках рядом с диванами замерли полные достоинства настольные лампы с металлическими пузатыми основаниями и старомодными абажурами. Совершенно пустому и безмолвному в поздний час фойе эти лампы окончательно сообщали дух скорее старинной университетской библиотеки, нежели модного отеля у моря, хотя на стене рядом с лифтами висели в три ряда фотографии ослепительных улыбок, вечерних платьев и бриллиантов с автографами побывавших здесь голливудских и европейских звезд.

После долгого и какого-то невероятно душного переезда на такси от Ларнаки до Пафоса прохлада спящего отеля заметно взбодрила Гуляева, но пробудила также и саднящую мысль. Он болезненно осознал, что все это великолепие ему не с кем будет делить. Распахнув балконную дверь в своем полулюксе, он жадно втянул запах моря, которого в темноте не было видно, но которое он отчетливо слышал из-за поднявшегося к полуночи волнения и сильного ветра.

— Мы уже спим, — недовольным голосом сказала жена, взяв трубку после десятого или одиннадцатого гудка.

— Мы? — удивился Гуляев.

— Да. У Ольги командировка в Челябинск отменилась.

— Ясно... — Гуляев озадаченно помолчал. — И что? Она решила перебраться к тебе?

— Мы вообще-то сестры, Игорь Валентинович, если ты забыл. И в последнее время редко видимся.

— Да нет, помню... Ладно, передавай привет.

— Завтра передам. Она спит в Сережиной комнате. Ты успел на свою конференцию?..

Положив трубку, Гуляев неподвижно просидел в кресле еще несколько минут. По репликам — слово за словом — он восстанавливал весь разговор с женой. Перебирал свои ответы, ее интонации, пытался понять — не было ли у него прокола и не звучало ли подозрение в ее голосе. Эта шпионская привычка появилась у него примерно полгода назад. С тех самых пор, как он невыносимо захотел переспать с младшей сестрой своей жены, Ольгой, а та, почти сразу уловив это его внутреннее движение, по какой-то причине повела себя очень самостоятельно и ни о чем не сказала сестре.

Гуляев и прежде не гиперболизировал значение супружеской верности, но особо ни в чем себя не винил, поскольку сам никогда и никого не добивался. В своих глазах он был всего лишь невинной жертвой соблазна. В роли инициатора и злоумышленника он выступил всего пару раз, так что это почти не считалось. Привыкший к женскому вниманию, он то и дело сдавался на милость очередной победительницы, которой не лень было осаждать его не самую неприступную в мире крепость и которая, что было немаловажно, соответствовала его меняющейся с годами самооценке. Если в начале своей академической карьеры он еще мог обнаружить себя в постели у девушки со средними данными, то с ростом ученой степени, званий и должностей, указываемых в скобках после его фамилии, претендентки становились все симпатичней и все моложе.

Первоначально большинство из них реагировали на его голос. Рассказывая о преступном браке Иокасты и ее сына Эдипа, об эротических волнениях, вызванных своеволием, скорее всего, элементарно фригидной Лисистраты, о хоре в античной комедии, который сплошь состоял из похотливых сатиров с привязанными к поясам огромными красными фаллосами, Гуляев так искусно и так неожиданно модулировал по тембру свой голос, что все эти абсолютно непристойные вещи начинали звучать не только приемлемо, но даже интригующе — они вызывали у его юных слушателей живой интерес. Присутствующим на его лекциях казалось, что обо всем этом можно спокойно беседовать с кем угодно — с друзьями, родителями, просто знакомыми по социальным сетям. Вооруженный мощной античной традицией Гуляев невероятно раскрепощал, а его голос побуждал к следующему шагу.

Девушек захватывал бивший в нем через край во время публичного выступления животный магнетизм, о котором один из его неказистых коллег мужского пола, посетив однажды его лекцию, сказал:

— Я понял, в чем ваш секрет. Я знаю, почему они вас так любят.

Выходя после учебных занятий из поточной аудитории, Гуляев действительно всякий раз был окружен роем вербально опьяненных и жаждущих продолжения вакханок.

— И в чем же? — спросил он тогда своего коллегу, покуривая на кафедре в приоткрытое окно.

— Месмеризм, — торжественно объявил тот.

— Простите?

— Флюиды. Вы излучаете магнитную энергию. Даже меня к вам тянет. Если бы мы жили в эпоху античности...

— Давайте не будем углубляться, — предостерег его тогда Гуляев и улыбнулся.

Он и без этого своего коллеги, разумеется, знал про Месмера и про его учение о флюидах. Более того, он знал, что, в отличие от обычного «магнетизера», который выделяет один-два флюида, сам он работает в режиме целой подстанции.

Однако происходило это только во время лекций. Во всех остальных ситуациях Гуляев мало чем выделялся среди более-менее состоявшихся мужчин своего возраста. Поэтому с Ольгой у него продвигалось не очень споро. Он пробовал зазвать ее на свои феерические выступления, но она неизменно отнекивалась, говоря, что фильм «Троя» даже с ее любимыми актерами Брэдом Питтом и Орландо Блумом заставил ее зевать почти три часа. Античность ее не интересовала в принципе.

Разница в пятнадцать лет между Ольгой и Ксенией драматически подчеркивала их сходство. Тот, кто общался с ними обеими, не мог избавиться от странного чувства дежа-вю — с тем лишь отличием, что ощущение «это со мной уже было» в случае двух сестер обретало материальную форму. Наблюдая исподтишка за перемещениями Ольги по своей квартире, Гуляев иногда забывался и принимал ее за Ксению, как будто проваливался во времени назад, и, что самое важное, сам попутно молодел на те же пятнадцать лет. Это был сильнейший соблазн, самое серьезное искушение в его жизни. Глядя потом на свою жену, он старел уже не на пятнадцать, а на все тридцать лет, и это было невыносимо. Поэтому, когда Ольга согласилась полететь с ним на Кипр, он даже не сразу поверил своему счастью. Однако в итоге он оказался в этом роскошном отеле один.

Тем не менее наутро Гуляев проснулся у себя в номере в приподнятом настроении. Он уже давно знал, что личность — величина переменная, и более нестабильной системы, чем человек, в природе быть просто не может. Уснув одним существом, каждый из нас просыпается совершенно иной божьей тварью. Впрочем, насчет божьей — Гуляев был не уверен. Так или иначе, этот его наивный релятивизм находил опору даже в идиоматике.

— Утро вечера мудренее, — улыбнулся он, сделав глоток хорошего брюта, которым в «Элизиуме» потчевали гостей на завтрак.

Наблюдая за ловкими руками повара, обжаривавшего прямо на роскошной веранде овощи каждому желающему по его выбору, Гуляев задумался о том, как провести день. Море, мерно дышавшее за ровной линией пальм, нисколько не привлекало его, потому что на территории отеля оно было лишь частью ландшафтного дизайна. Город, несмотря на свое название, давным-давно утратил всякое воодушевление и представлял собой скопление безликих прямоугольных домишек, напоминавших коробки для обуви. В бухту, где, по преданию, из морской пены родилась Афродита, одному ехать не имело смысла. Вояж туда задумывался единственно для того, чтобы покорить неискушенное воображение Ольги и добиться, наконец, от нее желаемого. В общем, из расположенных поблизости туристических мест оставался лишь древний Некрополь. Пешком до него, согласно Гуглу, было не больше пятнадцати минут.

За стенами отеля Гуляева накрыл тяжелый купол местного зноя. Стоило выйти за ворота, как на плечи ему навалился вполне ощутимый груз. Жара здесь имела не только реальный вес, но и реальную плотность. Пройдя метров сто, он уже сильно жалел, что отказался от предложенного швейцаром такси. Гнетущее пекло вынудило его спуститься в первую же более-менее глубокую гробницу на территории Некрополя. Четырехугольный свод ее во время раскопок был снят, и солнце нещадно палило центральную часть усыпальницы, однако позади пыльных, источенных временем колонн лежала густая тень.

В этой тени прятались такие же пыльные голуби, почти не отреагировавшие на его появление. Едва шевельнув крыльями, пухлые птицы сонно обозначили, что в курсе насчет его присутствия, но в остальном им на него плевать. Гуляев с наслаждением прильнул всем телом к прохладной каменной кладке и закрыл глаза. Он физически ощущал, как его пот впитывается в пористую поверхность камня. Откуда-то сверху долетела немецкая речь, потом смех и после этого все блаженно затихло.

Гуляев невольно вспомнил о сыне. Тот недавно отучился в университете на немецкой филологии, а теперь вот уже две недели служил в армии. Впрочем, в следующую секунду его мысли перескочили на Ольгу. Он представил ее лицо, ее прохладные руки, ее фигуру. Представил, как расстегивает на ней блузку, и был готов пойти дальше, но за спиной у него что-то неприятно шлепнулось на камни.

От этого звука голуби все разом взмыли со своих мест и, с напряженным свистом разрывая крыльями вдруг закипевший воздух, устремились в сияющий проем разобранного свода. На секунду в гробнице стало темно, а когда опять просветлело, обернувшийся Гуляев увидел на камнях огромную, мускулисто извивающуюся змею.

Тварь смотрела на него, приподняв массивную треугольную голову, и явно готовилась к броску. Максимум, что он встречал из рептилий до этого, были милые домашние черепашки и безобидные ужики в подмосковных лесах. Сейчас перед ним клубилось кольцами настоящее чудовище с канала «Дискавери». Что с ним делать, когда оно не в телевизоре, а в трех метрах от тебя, Гуляев не знал. Он застыл на месте с одной тоскливой даже не мыслью, а странным ощущением, что его здесь нет, и все это его не касается, в то время как органы чувств лихорадочно выхватывали детали происходящего, словно препарировали ситуацию, и Гуляев с неожиданной для себя точностью вдруг фокусировался то на трещине в камне, то на змеином зрачке, никчемно разглядев, что он узкий и вертикальный, как у драконов, которых рисуют в голливудских мультфильмах.

— Отойди назад, — прозвучал откуда-то сверху голос на английском. — Опусти руку.

Гуляев не оторвал взгляда от шипевшей змеи, но осознал, что правая его рука была вскинута над головой.

— Опусти... руку, — повторил голос. — Медленно.

Гуляев, минуту назад уже переставший дышать, начал опускать руку и одновременно выдыхать распиравший его легкие воздух. Рука опускалась так плавно и так невесомо, как будто он был под водой. Вообще, все происходившее было каким-то глубоководным.

Следившая за рукой змея синхронно тоже начала опускать голову, как будто была напрямую связана с этой рукой, и черный раздвоенный язык перестал вылетать молнией у нее изо рта.

— Два шага назад, — негромко скомандовал голос.

Гуляев, подобно теням давно ушедших обитателей этой гробницы, неслышно отступил в самый угол. Змея помедлила еще секунду, а затем скользнула в темное отверстие справа от нее, ведущее, очевидно, еще глубже в царство мертвых.

Наверху зашуршало, и на раскаленные плиты усыпальницы сухим ручейком осыпался белый песок. Песчинки в неподвижном воздухе струились ровным узким потоком, словно в перевернутых кем-то гигантских песочных часах. Следом упали несколько сухих веточек и мелких камней. Гуляев оторвал от них взгляд и наконец посмотрел наверх, но, кроме пары ног в спортивных штанах, ничего в проеме разобранного свода не увидел. Он слишком глубоко отошел в угол.

— Иди сюда, — сказал голос. — Не стой там... Ты где?

Продолжая коситься на темное отверстие, в котором исчезла змея, Гуляев по стеночке, шаг за шагом дошел до лестницы, а дальше взлетел по разбитым ступеням проворнее, чем те пыльные голуби. Наверху под палящим солнцем его встретил насмешливый взгляд.

— Испугался?

— Не то слово, — ответил Гуляев почему-то на родном языке.

— Русский? — улыбнулся спасший его человек. — Здесь русских не очень много. В основном в Лимассоле. В Пафос не приезжают.

Он произнес эту тираду по-русски, но Гуляев не успел удивиться. Вернее, успел, но — другому. Он удивился тому, что его ноги вдруг перестали ему принадлежать и повели себя независимо от его сознания и воли. Вместо того, чтобы послушно поднести его тело к стоявшему на краю зияющей гробницы человеку, они самовольно согнулись и уронили Гуляева на пересохшие побеги каких-то невысоких колючих растений. Беспомощно пошарив руками в пыли вокруг себя, он попытался встать, однако ноги были заняты совсем другим. Они противно дрожали, и дрожь от них передавалась всему телу.

— Извините, — выдавил Гуляев, повернув голову в сторону человека на краю усыпальницы.

— Все в порядке, — сказал тот и с легким звоном положил на землю старенький велосипед, который придерживал за руль.

Подойдя к сидящему на сухой траве Гуляеву, человек присел перед ним на корточки.

— Вы из Москвы? — спросил он. — Я там учился. Университет имени Патриса Лумумбы.

— А я там преподавал, — Гуляев вздохнул и потряс головой, пытаясь прийти в себя. — Правда, недолго...

— Повезло вам.

— Да чего уж там. Обычный университет.

Человек улыбнулся:

— Я про змею... Это гюрза. Очень опасно.

Гуляев кивнул и постарался сфокусироваться на человеке. Все вокруг куда-то плыло. Сидевший перед ним на корточках мужчина тоже слегка расплывался. Несмотря на жару, он был одет в плотную куртку защитного цвета с маскировочными пятнами, спортивные штаны и белые кроссовки на босу ногу. Судя по очень загорелому и почти голому черепу, мужчине было лет пятьдесят — может, чуть больше. По-русски он говорил практически без акцента. Голос у него был слегка хрипловат.

— Странно, что она свалилась туда, — махнул он рукой в сторону открытой гробницы. — Проснулись они уже давно. А эта какая-то сонная...

— Я бы так не сказал, — выдавил трудную улыбку Гуляев. — Мне она показалась... вполне бодрой.

Мужчина покачал головой:

— Нет, она бы туда не упала. Они после спячки всегда немного такие... Медленные. Поэтому часто гибнут. Птицы их убивают, люди. Потому что холодная кровь. Некоторые самцы, чтобы быстрее согреться, начинают пахнуть как самки.

— Зачем?

— Другие самцы приходят и вокруг них обвиваются. Большой бывает клубок. Штук по сорок, по пятьдесят. Горячие все — про любовь думают.

Мужчина обеими руками показал размеры змеиного клубка, и Гуляева слегка замутило.

— Ужасно... — пробормотал он.

— Нет, хорошо, — возразил его спаситель. — Сонный самец тогда быстро согревается. Ловкий опять. В ямы уже не падает. А эта странная какая-то...

Он снова обернулся в сторону гробницы, как будто ожидал, что свалившаяся туда гюрза покажется на поверхности и подтвердит его доводы насчет ее сонливости и необычного для такой жары поведения.

Гуляев поднялся на ноги.

— Спасибо вам, — протянул он руку сидящему на корточках мужчине. — Если бы не вы... Я просто... Даже не знаю.

— А вы что там искали? — спросил тот, выпрямляясь и пожимая руку Гуляева.

— Да ничего. Из любопытства спустился. Я специалист по античности. Доктор наук.

— О! — Мужчина уважительно кивнул. — Тогда вам нужно вот это.

Он вынул из кармана флешку и протянул ее Гуляеву.

— Берите, берите. Там один очень хороший текст. Вы по-гречески читаете?

— Да.

— Значит, поймете.

Гуляев удивленно посмотрел на флешку у себя в руке, а затем убрал ее в карман.

— Спасибо.

— Пятьдесят евро.

— Что, простите?

— С вас пятьдесят евро, — повторил мужчина. — Это очень редкий текст. Из фракийского цикла.

Гуляев помедлил, приноравливаясь к новой нелепой ситуации, а затем вынул бумажник. Отказать человеку, который только что спас тебя от смерти, было бы странно. Пожалуй, еще странней, чем эта неожиданная торговля. О том, что такое «фракийский цикл», он не имел ни малейшего представления.

— И за флешку семь евро, — сказал мужчина, убирая оранжевую купюру в карман своих спортивных штанов.

В номере Гуляев рухнул на кровать и закрыл глаза. Под веками тут же заметались непрошеные картинки. Лукавая улыбка Ольги, отчужденный взгляд жены, напряженные плечи сына перед самым отъездом на призывной пункт, затянутая в черное стюардесса и, наконец, массивная, чуть подрагивающая змеиная голова.

Гуляев судорожно втянул безжизненный кондиционированный воздух и осознал, что замерз. По телу бежали мурашки. Он попытался натянуть на себя одеяло, но оно было глубоко подоткнуто под тяжеленный матрас. Безрезультатно подергав туго натянутое полотно и покрутившись на широкой, как взлетная полоса, кровати, он вскочил с нее и распахнул дверь на балкон. Оттуда ударила плотная волна горячего воздуха. Гуляев жадно окунулся в него, опустился на раскаленный стул и затих, впитывая тепло.

В кармане у него ожил телефон. Звук доставленного сообщения вывел его из полуминутного блаженного анабиоза, в который он погрузился подобно ушедшей в зимнюю спячку рептилии. Он даже успел обрадоваться, решив, что это наконец Ольга, что она все же надумала отписаться и объяснить, что произошло, однако эсэмэска была от мобильного оператора. Доставленная почему-то с большим опозданием, она приветствовала его на Кипре и предлагала подключить какие-то хитрые тарифы для звонков и сообщений из-за рубежа.

Подавив желание запустить мобильником с балкона в бассейн, Гуляев поднялся со стула и увидел лежавшую на полу флешку, выпавшую, очевидно, из кармана, когда он торопился достать телефон. На флешке точно можно было сорвать зло, и он уже нацелился поддать ей ногой, так чтобы она как миленькая вылетела через щель под перилами и ответила, тварь, за все, что с ним произошло, но в последний момент Гуляеву все-таки припомнились пятьдесят евро. Плюс еще семь за цифровой носитель.

Открыв на своем ноутбуке содержимое единственного файла, оказавшегося на столь дорого и при столь необычных обстоятельствах доставшейся ему флешке, он обнаружил средних размеров текст на греческом языке, который назывался «Филомела». Перед текстом стоял набранный в правой части страницы довольно пространный эпиграф:

«Дабы скоротать ваш досуг, моя милая недотрога, могу предложить вам забавную головоломку. Отыщите ее решенье — и я перестану докучать вам.

Итак, ежели Господь Бог всемогущ, то под силу ли ему создать камень, который он сам не сумел бы поднять?»

Джованни Пико делла Мирандола.
Из письма Лукреции Гонди
от 14 октября 1491 г. Флоренция

Гуляев помнил, что этот Мирандола был известным итальянским философом эпохи Возрождения и параллельно — то ли врагом, то ли сподвижником Савонаролы. Уточнить можно было в Википедии, но Гуляев не стал. Парадокс всемогущества, сформулированный в первом эпиграфе, неожиданно оттенялся кровожадным вторым:

«Темя секирой ему разрубили,
Как дровосеки рубят дубы».

Софокл «Электра»

Далее шел собственно текст:

«Теперь уж никто из нас и не вспомнил бы точно, когда эта история началась. В том смысле, что нет никакой возможности определить — с чего завязалась вся тогдашняя нервотрепка...»

Гуляев разочарованно оттолкнул компьютер и, скрежетнув ножками тяжелого кресла, встал из-за стола. Было понятно, что его провел какой-то горе-писатель, которого никто не публикует и который втюхивает свои рассказики недотепам или туристам вроде него. Благодаря свалившейся в гробницу полусонной гюрзе, на этот раз писаке с велосипедом удалось еще и неплохо заработать.

— Да, но не все же туристы читают по-гречески, — тут же возразил Гуляев сам себе. — Скорее всего, вообще никто из них не читает.

Он вновь склонился к монитору. До ужина оставалось еще немного времени, а телевизор включать он категорически не хотел. Судя по названию и второму эпиграфу, рассказ должен был иметь отношение к античным мифам. Так или иначе, Гуляев снова начал читать. Чтобы не думать об Ольге и поскорей забыть омерзительное происшествие в Некрополе, ему надо было занять голову чем-то совершенно иным.

«Теперь уж никто из нас и не вспомнил бы точно, когда эта история началась. В том смысле, что нет никакой возможности определить — с чего завязалась вся тогдашняя нервотрепка. То есть начало, конечно, было положено исчезновением Филомелы из города, но сбежала ли она от кузнеца ночью, очертя голову и плюнув на наших неприкаянных беотийских собак, которым разорвать четырнадцатилетнюю девочку во сто крат проще, чем лишний раз устроить бестолковую случку; или же на глазах у всех вышла за черту последних огородов и растворилась в дрожащем степном мареве; зимой это было или летом; и, главное, откуда она узнала об этих проклятых родственниках во Фракии – боги опускают здесь непроницаемую завесу, или лучше сказать, пелену, уже и тогда, кстати, застилавшую наши взоры, ибо если мы говорим, что девочка вполне могла уйти из города среди бела дня, не таясь от глаз и без того не слишком зорких сограждан, то мы ничуть против истины не грешим – она в самом деле могла свободно это сделать, потому как все имевшиеся тогда в наличии глаза и уши направлены были совершенно в другую сторону...»

За ужином Гуляев попросил бутылку местного вина, хотя знал, что напитки оплачиваются отдельно. Ни вино, ни соки, ни даже чай, заказанный в ресторанах и барах отеля, в стоимость купленного им тура не были включены. Вино оказалось посредственным — налитое в красивый и дорогой бокал оно было явной издевкой в адрес элегантно сервированного стола, сочного салата с мидиями, нежнейшего стейка и старомодных мелодий Дина Мартина, которые наигрывал на веранде небольшой, но жизнерадостный духовой оркестр.

— Я же вам говорил, что лучше чилийское, — склонился к Гуляеву единственный говоривший по-русски официант.

Стоило Гуляеву допить бокал с откровенно плохим вином и скроить недовольную мину, как наблюдавший внимательно за ним официант покинул свой пост у конторки с декоративной винтажной кассой и устремился к его столу, лавируя между трепетавшими огоньками свеч, расставленных там, где сидели пары.

Тот факт, что он был родом откуда-то из бывших советских республик, давал этому официанту самопровозглашенное право на весьма назойливое покровительство русскоязычным гостям.

— Давайте, я заменю, — он протянул руку в белой перчатке к стоявшей рядом с Гуляевым бутылке, но тот защитил ее локтем.

— Не надо. Я хочу местного. Я везде пью только местные вина.

Официант обиженно отпрянул.

— Как хотите.

— Да, я так хочу. Когда я приеду в Чили, я буду пить чилийское.

Гуляев спешил отвязаться от надоедливого официанта, не только потому что тот его раздражал. Усевшись пятнадцать минут назад за свой стол и выложив телефон между граненым сосудом с оливковым маслом и судочком со специями, он все это время поглядывал на него и запрещал себе брать его в руки. Теперь же он сдался и был готов набрать номер Ольги. Мешал прилипчивый официант.

— Может, вам еще что-нибудь принести?

— Не надо ничего! Идите.

Обескураженный его тоном официант величественно удалился к своей конторке, и Гуляев тут же схватил со стола телефон.

Прождав не меньше минуты и выслушав, как ему показалось, наверное, сотню гудков, он убрал телефон в карман, раскрыл принесенный с собой ноутбук и постарался отвлечься на чужой текст:

«...очертя голову и плюнув на наших неприкаянных беотийских собак, которым разорвать четырнадцатилетнюю девочку во сто крат проще чем лишний раз устроить бестолковую случку...»

Он успел пробежать глазами этот пассаж несколько раз, прежде чем понял, что застрял и что вообще читал его уже наверху, у себя в номере.

— А хотите, я зажгу вам свечу? — проникновенным голосом сказал официант, незаметно подкравшийся сзади.

— Нет! — вздрогнул Гуляев. — Не надо свечей. Оставьте меня в покое.

Он судорожно выхватил телефон и набрал номер жены, однако Ксения тоже не взяла трубку. Опустив растерянно мобильник на скатерть,

Гуляев наконец нашел в тексте то место, где остановился, и невольно, почти механически продолжил читать.

«...И если бы мы не пялились так пристально на это новое чудо, доставлявшее нам, чего уж скрывать, радость узнавания заморской, не виданной никем из нас боевой и походной жизни – на прибывшего неизвестно откуда инвалида, путано болтавшего о какой-то войне; если бы мы оторвались от будоражащих не свойственной нам жестокостью историй об изнасилованиях и членовредительствах; короче говоря, если бы мы подняли головы от этого омута убийств и соблазнов, то уж, конечно, увидели бы, что с девчонкой не все ладно, и дело, принявшее впоследствии такой печальный оборот, развернулось бы как-нибудь по-другому, может быть, даже по-человечески...»

«Почему не отвечает Ксения? — пульсировало в голове у Гуляева, который даже не пытался сосредоточиться на тексте, скользя по нему глазами. — Что, если Ольга ей все рассказала?»

«...то уж, конечно, увидели бы, что с девчонкой не все ладно, и дело, принявшее впоследствии такой печальный оборот...»

Мысль о том, что Ольга могла признаться во всем Ксении, парализовала Гуляева. Он замер с бокалом в руке и уставился в темноту за окном — туда, где за невидимой линией пальм шумело море.

«Ну да, они ведь сестры... Если бы они не были сестры, то между ними было бы одно лишь соперничество... И на это соперничество ведь можно рассчитывать. Оно гарантирует... Однако между ними еще и общая кровь. И что тут будет сильней — неизвестно».

За соседним столом раздался дружный взрыв смеха, и он невольно перевел туда взгляд. Пожилой и какой-то весь очень сочный немец в светлом льняном пиджаке на розовую футболку развлекал своих молоденьких спутниц, и обе эти весьма симпатичные брюнетки откровенно наслаждались не только ужином, но и тем, что он шептал им на ушко, склоняясь то к одной, то к другой раскрасневшейся от вина изящной головке. На столе перед этой троицей горело сразу несколько свечей, словно подчеркивая тот факт, что жизнь отмеряет этим троим от своих щедрот гораздо более полной мерой, чем всем остальным скромнягам.

Гуляев опустил бокал на белоснежную скатерть, но рука вдруг ослушалась, и рубиновая жидкость едва не выплеснулась через край. Оставив ужин почти нетронутым, он вышел из ресторана. С ноутбуком в руке задумчиво прошел мимо мерцавшего голубой подсветкой причудливого бассейна, постоял на одном из горбатых мостиков рядом с баром, стойка которого и высокие круглые табуреты вокруг нее выступали прямо из воды, а затем направился в сторону пляжа. На огромной поляне, едва освещенной редко разбросанными фонарями, сотрудники отеля забыли убрать за постояльцами пару лежаков, и теперь они призрачно сияли в темноте белым пластиком, отражая неяркий свет фонарей, луны и звезд.

Решив не идти дальше к морю, он улегся на один из брошенных лежаков. Его окружала такая мягкая и такая чудесная средиземноморская ночь, от которой любой оказавшийся на его месте ощутил бы себя в раю, но Гуляева все эти курортные чудеса и разлитая повсюду умиротворенность вгоняли в еще более жуткую панику. Он чувствовал, что все это лишь наживка, прекрасная видимость, маскировка — и стоит ему потерять бдительность, расслабиться, довериться тому, что его так ласково здесь окружило, как реальность тут же обернется к нему совсем иной стороной, она раздавит его как мерзкого таракана. Поэтому Гуляев должен был оставаться настороже.

Заглянув под лежак и удостоверившись, что под ним не притаилась никакая ядовитая тварь, он снова набрал номер жены. Ксения не взяла трубку. Он поднял крышку своего лэптопа и продолжил читать:

«...А до этого, то есть до появления инвалида, все наше внимание, как назло, было приковано именно к ней, к Филомеле. Чем еще, скажите на милость, можно интересоваться в нашей убогой глиняной деревушке, одинаково далеко отстоящей от Афин и от любого другого приличного города священной Эллады, как не загадочной жизнью такого вот совершенно нездешнего, исполненного полумистической эротики вызревающего существа, о котором шептались, что она, наверное, царская дочь; и которое неизвестно откуда появилось на наших пустынных улочках, где все интересы сходились на урожае репы, на глухой зависти, да на безрадостно-грубых соитиях после заката солнца; и которое, то есть — существо, непонятно почему поселилось у старого, сильно пьющего, но всегда способного к работе, одинокого кузнеца, и мучило его и томило шипами поздней, никчемной, и в наших глазах — преступной страсти. Нет, нет, не может быть тут и речи о совместном спанье — она словно догадывалась о замысле богов касательно ее девичества и об ужасных преступлениях, с ним связанных. Догадывалась и жила в таинственном полусне ожидания, терпеливо высматривая торжественного своего грабителя...»

Со стороны отеля послышались громкие голоса, и Гуляев прикрыл компьютер. Свечение экрана выдало бы его. Общаться ему ни с кем не хотелось.

Красивая, уверенная в себе немецкая речь звучала все явственней, и через несколько мгновений из-за кустов появилась та самая развеселая троица. Мужчина, в полный рост оказавшийся довольно крупным экземпляром, явно ни в чем не сомневался и по-хозяйски прижимал к себе своих спутниц, обнимая их за тонкие — Гуляев про себя сказал: «звонкие» — талии.

Смеющиеся и бесконечно перебивающие друг дружку немцы прошли мимо притаившегося, как змей в ночи, Гуляева и, не обратив на него никакого внимания, спустились к морю. С пляжа еще несколько минут долетали их возбужденные вином и роскошной ночью праздничные голоса, но потом все стихло. Уплыли они, раздевшись и бросив льняные свои одеяния на черном вулканическом местном песке, или предались чему-то иному — Гуляева не интересовало. Он снова раскрыл свой компьютер и продолжил читать то, что уже странным образом стало ему небезразличным:

«...Отвечала ли она кузнецу хотя бы признательностью за весь этот хоровод его чувств, устремлений, за неловкую в мучительной невозможности саму себя выразить косноязыкую его любовь, силящуюся промычать что-то нежное, прижать, приласкать огромной заскорузлой лапой; была ли она хоть в малой степени благодарна ему за терпение, с которым он принимал ее тревожный способ жить, не появляясь иногда по целым неделям в его прокопченном домишке, а возвратившись, непреклонно молчать о причинах столь долгого отсутствия и в конце концов добиваться того, чтобы в этих причинах начинал винить себя он, влюбленный, тем более что сделать это было легче легкого, ибо не бывает безнадежно влюбленного мужчины, не готового пугливо и радостно взять на себя любую вину, какой бы несправедливой она ни была; так вот, светилась ли она в ее взоре, обращенном к несчастному кузнецу, малейшая благосклонность: этот вопрос ни сейчас, ни тогда у нас затруднений не вызывал. Не было там никакой благосклонности, и тепла там тоже никакого не было, а была одна лишь мука и бестолковщина, несуразица и жестокость, потому что девчонка точно была жестока – видно, так уж ей на роду написано было. Мы просто ужасом заходились, когда она глазами своими полуприкрытыми нас разглядывала – точно кто из-под воды на тебя смотрит, потом переводит утопленницы взор на кузнеца – а тот уже и бежит в кузню и воет там жутко, железо свое гнет. После уже, когда она во Фракию сбежала и когда первый из тех вестников появился, которых мы еще долго потом боялись и ждали, а они все равно нежданные, страшные, словно с неба падали, – проснемся однажды, а кто-то из них опять тут как тут: смотрит, молчит, будто нас в чем укоряет; вот так и тот, первый, молчал, пока рта не раскрыл, да и когда раскрыл – все равно молчал, – тут уж мы заголосили, заотворачивались, что нельзя, мол, так над людьми издеваться, и какие это изверги, гонцов отправляя, языки им рвут, и, главное, зачем, и что это за весть, которую можно передать, вырвав человеку язык с корнем? Вот после этого-то посланца и понимать мы начали, что не зря полуприкрытых глаз боялись, что кузнецу лучше бы с самого начала о наковальне да о выпивке лишь тревожиться, а в эту смуту с любовными грезами вовсе не мешаться. Но понимание, вернее — начало его, много позже к нам пришло, а тогда мы просто, без тени всякой мысли и покушения на какие-либо выводы, бестолково следили за ней, за Филомелой, как следил бы раздраженный зверь за любым посторонним предметом, оказавшимся волею случая в опасной близости к его жилью и его детенышам. Кто-то намекнул, что дело не обошлось без ведьмачества, и мы безропотно стали привязывать на ночь нашим малышам пучки заговорной травы...»

Гуляев оторвался от текста, прислушавшись к ровному шуму волн. Дыхание уставшего за день моря было безропотным и нежным, как у той женщины, которая, даже уснув, умеет оставаться одновременно искусительницей и беззащитным ребенком, до боли родным и в то же время космически недосягаемым существом. Помимо звуков мерного чередования дремлющих волн Гуляев со стороны пляжа больше ничего не услышал. Хотя прислушивался очень хорошо.

С учетом того, что шумная прежде немецкая троица мимо него обратно к отелю не проходила, он невольно представил себе, чем они могли втихомолку заниматься там, на пустом пляже. Глядя на белую доску с надписью «После заката вход на пляж воспрещен», Гуляев припомнил одного своего приятеля, жизнелюбивого и удачливого чиновника, спросившего у него однажды то ли в шутку, то ли всерьез — пробовал он когда-нибудь сразу с двумя или нет. Гуляеву тогда удалось отшутиться, однако, вспомнив теперь охватившую его при этом бестактном вопросе неловкость, он задумался о странной природе соблазна.

Тот немолодой, но все еще очень полный любви к жизни чиновник мог весьма органично и даже не без своеобразного обаяния предложить юной и на загляденье красивой официантке в дорогом ресторане выйти за него замуж на два часа. Гуляева, в присутствии которого было сделано и с достоинством, кстати, принято это предложение, удивила тогда не только подкупающая раскрепощенность его приятеля, но и такая же подкупающая раскрепощенность девушки. Она явно осознавала себя равной фигурой в этом мероприятии, в этой наметившейся договоренности — игроком, с которым надо считаться, причем ровно так же серьезно, как и с тем, кто вынес это предложение на повестку дня.

Причина же этого равенства, как понял теперь Гуляев, крылась в социальной, групповой сути соблазна. Для него, как и для проявлений зла, добра, справедливости, одного участника недостаточно. Эти абстракции реализуют себя только в групповой среде. Невозможно быть злым или добрым по отношению к пустоте. Пустоту не заставишь несправедливо страдать или испытать вдруг твое великодушие. Соблазну, злу и добру нужна социальная почва, живой конкретный объект, иными словами — жертва, без которой их просто не существует. Пока человек в одиночестве, он не знает — добрый он или злой. Вот почему в детстве все так любят читать про Робинзона. Ребенок инстинктивно выбирает мир, где до поры до времени вопросы морали не возникают.

Девушка в ресторане прекрасно понимала, что сделавший предложение «выйти замуж» не способен реализовать этот замысел в одиночку, что она тут ключевое звено, и без нее конструкция распадется, а потому, вместо глупой стеснительности или демонстрации оскорбленных чувств, она была преисполнена достоинства и понимания собственной значимости. Припомнив теперь ее красивое лицо, Гуляев вздохнул и покачал головой, как будто жалел, что это не он сделал то предложение. Экран компьютера тем временем погас. Надо было идти в номер и ставить ноутбук на зарядку.

В прохладной после духоты снаружи ванной комнате почему-то горел свет. Гуляев не мог вспомнить — выключал он его или нет, когда уходил на ужин, и подозрение, что он его все-таки выключил, сильно встревожило его. Разумеется, если бы днем не приключилась вся эта катавасия со змеей в открытой гробнице, сейчас он бы и глазом не моргнул. Свет могла включить и оставить заглянувшая по поводу какого-нибудь шампуня горничная. Однако после того, что произошло в Некрополе, состояние тревоги не покидало Гуляева целый день, окрашивая все обстоятельства в странные, даже абсурдные тона.

Проверять номер он начал со шкафа у входной двери. Вооружившись обувной ложкой на длинной рукояти, он осторожно переворошил все свои вещи, выложенные на полки, а самое пристальное внимание уделил аккуратно свернутому халату. В его белоснежных махровых складках запросто могло притаиться что-то зловещее. Гуляев не знал точно, что он ищет или чего может ожидать, но увесистую обувную ложку сжимал с полной готовностью размозжить ею любую тварь, которая ему подвернется. Он отдавал себе отчет в том, что ни одно существо, способное спрятаться среди его трусов и футболок, не могло включить электричество в ванной, однако абсурд собственного поведения лишь усиливал его злость.

После шкафа он проверил комод, мини-бар и даже холодильник. В сейфе, разумеется, тоже ничего не было. А вот под кровать ему заглянуть не удалось. Низкие боковые стенки закрывали пространство под нею, упираясь в ковер, и чтобы бросить туда свой нервный пытливый взгляд, Гуляеву пришлось бы оторвать их. Пару минут он вполне серьезно рассматривал такую возможность, но потом все же сумел взять себя в руки. То, что могло безмолвно там находиться, осталось в зоне подсознательных страхов и зависело теперь от прихотливости его все еще взбудораженной фантазии.

Подавив охвативший его приступ паники и похвалив себя за сохраненные остатки здравого смысла, Гуляев подключил свой компьютер к зарядному устройству, уселся в кресло и, чтобы окончательно прийти в чувство, начал читать вслух на греческом языке:

«...Мы и неизвестно до чего бы дошли в благоговейном своем трепете перед умыслом Зевса относительно Филомелы, когда бы не появился тот солдат с военными россказнями и не увлек нас, послушных и смирных, на стезю походов и грабежей, в область разбойничью и пряную, как те замысловатые лакомства, что привозят иногда на своих кораблях финикийцы из диких, исполненных варварского сладострастья земель, от чужих царей и из чужих гаремов. Мы погрузились в волнующие бездны перекликавшихся сигнальными трубами историй, дав Филомеле возможность независимо от нас узнать о своей сестре Прокне, непонятно откуда возникшей и вышедшей замуж за фракийского царя Терея, и беспрепятственно удрать навстречу губительной судьбе и царственному фаллу свирепого быка, Терея-бабника...»

Ночью Гуляеву приснилась его жена Ксения с большим хлебным ножом в правой руке. Отчужденная, неторопливая и холодная, она вошла абсолютно голая в его номер, остановилась у кровати и перерезала ему горло. Проснувшись, он порывисто и хрипло дышал еще, наверное, минуту, таращился в темноту, затем хотел встать, но побоялся, потому что не помнил — была ли под боковинами кровати щель, и какая, и не могло ли через нее выбраться то, что, возможно, пряталось там внизу.

Так он пролежал без сна минут десять — крутился, подворачивал под себя одеяло, проклинал узкие и длинные как валики для диванов гостиничные подушки, пытался зачем-то вспомнить, в какой стране подушки были нормальной формы и нормальных размеров, потом, наконец, вскочил на ноги, включил везде свет и, озверев, разнес боковые стенки кровати в несколько ударов голыми пятками. Фанера оказалась довольно хлипкой.

Утром он передал найденное под кроватью колечко приветливым девушкам на стойке администратора. Когда во время обеда к нему подошел говоривший по-русски официант и с уничтожающим выражением на лице сообщил, что на террасе его ждет руководитель службы безопасности отеля, Гуляев решил, что разговор пойдет об изувеченной ночью кровати. Не спеша доев свой овощной суп, запеченную в соли дораду и даже фруктовое мороженое на десерт, он вытряхнул из пластикового контейнера зубочистку, лихо и независимо, как ему показалось, зажал ее между зубами и подчеркнуто неторопливо прошел на террасу, где навстречу ему из глубокого кресла тут же поднялся темноволосый и совершенно не загоревший — как будто вообще не выходил из отеля — человек в сером костюме.

— Вам не следовало беспокоиться, — по-английски заговорил первым Гуляев. — Я за все заплачу.

— Следуйте за мной, — негромко сказал начальник охраны и указал на дверь, рядом с которой стояли еще двое мужчин в таких же серых костюмах.

— Вы что, шутите? — усмехнулся Гуляев. — К чему это все?

— Вы должны пройти с нами, — вежливо ответил начальник охраны. — Точнее — проехать.

— Куда?

— В полицию. Там вам всё объяснят.

Гуляев помолчал, осознавая неожиданный поворот, и решил на всякий случай оценить свое положение.

— Мне нужно взять компьютер... Я должен работать.

— Разумеется. Мы будем ждать вас вон там, — начальник службы безопасности указал через стеклянную дверь на стойку администратора, у которой толпились прибывшие чартерным рейсом молчаливые, но улыбчивые японцы с грудами своего багажа.

«Мы же тем временем завороженно внимали предсмертному хрипу заходящихся в истерике коней Диомеда, с восторгом и ужасом следили за непрерывной цепью насильственных прелюбодеяний могучих воинов, погрузивших мир вокруг себя в жаркие волны мятущейся крови, слушали, как сшибаются черепа и лопаются внутренности, как кричат, озверев от наслаждения и боли, насилуемые в храмах и дотоле не доступные никому из смертных прекрасные жрицы великих богинь, видели, как катятся изуродованные останки героев с летящих колесниц в горячую троянскую пыль...»

Старательно читая все это на заднем сиденье просторной машины, которая, как он, облегченно вздохнув, отметил, не была полицейской, Гуляев делал ужасно сосредоточенное лицо, шевелил губами и даже время от времени задумчиво кивал, дабы наблюдавший за ним в зеркальце начальник охраны пришел к выводу, что он на самом деле работает, что он очень занят, что он серьезный и крайне дорожащий своим временем человек — причем настолько серьезный, что даже поездка в полицию на территории чужой страны не в силах его хоть чем-то обеспокоить.

> «Да, да, конечно, – кажется, речь шла именно о Трое и об ушедших туда то ли десять, то ли двадцать лет тому назад ахейских бойцах. Здесь, надо сказать, рассказчик и сам испытывал некоторые затруднения...»

Здесь, надо сказать, читатель тоже испытывал затруднения. Машина, в которой его везли неразговорчивые люди в серых костюмах, выскочила за черту города, и по обеим сторонам от нее потянулись желтоватые, выжженные солнцем, лишенные почти всякой растительности пейзажи. Почему его увозят из Пафоса, Гуляев не понимал. Теряясь в догадках и чувствуя, как пот от страха веселыми щекотливыми паучками все чаще сбегает у него между лопаток, он никак не решался спросить об этом и все крепче сжимал влажными руками свой злосчастный компьютер со злосчастным текстом на греческом языке. Подобно гоголевскому Хоме Бруту он уже практически вслух бубнил как заклинание этот текст, отгоняя страхи, упырей, вурдалаков и, разумеется, прекрасную панночку.

> «...потому что, добравшись в повествовании до рассуждений о сути и причинах столь непримиримой бойни, он постоянно натыкался, мы бы не сказали, что на стену, но, во всяком случае, на небольшую изгородь непонимания – это уж точно. Ибо ни один из нас не помнил, чтобы куда-то уходили наши воины, да еще объявив при этом едва ли не всегреческую мобилизацию. Глухо поговаривали, правда, об истории со спартанской женой, якобы соблазненной заезжим азиатским красавчиком, но что потом целое войско ушло губить чужой город – об этом как-то молчали, да и мало ли умыкают смазливых жен...»

— Это уж точно, — неожиданно вслух и по-русски сказал Гуляев.

— Что? — обернулся к нему начальник охраны.

— Ничего, — перешел Гуляев на английский язык. — Скажите мне, пожалуйста... Куда мы едем?

— В соседний город.

— Зачем? Разве в Пафосе нет полиции?

— Есть. Но штаб-квартира нашего полицейского округа находится в соседнем городе.

Начальник охраны отвернулся и уставился на дорогу. Его крепкая спина отчетливо говорила — вопросов больше не надо.

За сломанную гостиничную кровать Гуляева вряд ли бы повезли к большому полицейскому начальству. Дело было явно в другом. Но вот радоваться этому открытию или нет — он пока не понимал. Поэтому вернулся к смазливым женам.

«...да и мало ли умыкают смазливых жен. Нам вообще казалось, что все это имело место, ну, может быть, лет двести-триста назад, или об этом даже только пророчествовали, как о возможном впоследствии. Короче, мы не очень верили убогому ветерану, когда он пытался увязать этот утративший всякую прелесть новизны семейный скандал с величественным побоищем, где даже боги в азарте хватали доспехи и мчались, сея смертоносный ужас, в кровавую сечу. Нам претило желание рассказчика облечь историю конкретностью, обозначить точные даты, причины и мотивы поступков, ибо в этом случае она, то есть — история, которая теперь уже была столько же наша, сколько и его, теряла свое волшебное значение всемирной тайны о человеке и его борениях, и становилась рядовым вооруженным конфликтом, способным заинтересовать разве что напрочь лишенных религиозного и поэтического воображения военных историков. Не много было во всем этом для нас поэзии, способной отвлечь нас, мечтательно стремящихся к разгадке взаимоположения человека и бога, от скуки остального мира, пробавляющегося возней вокруг тронов и петушиным соперничеством, а главное, расценивающего эти свои занятия как самоцель, но не как предметы для размышления все о том же таинственном взаимоположении человека и божества...»

— Нам еще далеко? — спросил Гуляев, поднимая голову и скользя взглядом по весьма неприютным плешивым холмам. — Мне надо к ужину хотя бы вернуться.

— Это неважно, — ответил начальник охраны, не повернув на этот раз головы.

— Что значит «неважно»? — попробовал возмутиться Гуляев. — Я за все заплатил. Кто мне вернет стоимость ужина, интересно узнать?

Начальник охраны не счел необходимым даже пожать плечами. Он просто молчал и смотрел на дорогу перед собой.

«Это все карма, — тоскливо подумал Гуляев. — Мстит мне, собака... А кто виноват, что иногда так тянет покуролесить?»

Мысли об Ольге, о его дерзкой и недоступной панночке, заставили сладко заныть что-то у него в груди. Он опустил крышку компьютера и закрыл глаза, чтобы целиком погрузиться в это щемящее чувство, но на ум вдруг пришла история про мужика по имени Марей из «Дневника писателя», который он недавно перечитывал у Достоевского. Классик там вспоминал о своеобразной забаве на каторге, когда он ложился в казарме на свое место напротив окна с железной решеткой, закидывал руки за голову, притворяясь спящим, потому что к спящему никто не лез, а сам по шажочку восстанавливал прошедшую до этого момента собственную жизнь и переставлял в ней то, что не очень устраивало, — правил, как правят рукописи, редактировал, менял местами.

Вот так и Гуляев сейчас предался исправлению реальности. Он решительно настоял на том, чтобы Ксения отказала младшей сестре, когда та год назад собралась перебраться из своих волгоградских степей в Москву. Он сам поехал к ней в городок с гостеприимным и теплым названием Калач-на-Дону, чтобы объяснить — насколько неправильным и чреватым будет решение переехать из этого рая в столицу. И там в Калаче они по утрам целомудренно ловили задумчивую некрупную рыбу, а по вечерам...

Нет, он никуда не поехал. И сто пятьдесят тысяч, отложенных на взятку за военный билет для сына, он не потратил на дорогущий тур для двоих на Кипр, а честно, как и планировалось, отнес их специальному секретному человечку, и Сережа остался в итоге дома, и Ксения больше не злилась за то, что ей придется одной ехать к сыну в часть на присягу, вообще не злилась оттого, что она должна теперь произносить эти два слова: «воинская часть», должна считаться с ними, впустить их на равных со всеми другими словами в свою жизнь.

Но самое главное, самое дорогое, самое важное — Гуляева больше не было здесь. Это не он ехал на заднем сиденье служебной машины. Не он вышел из нее, шагнув, как в кипящее сгущенное молоко, в тяжелый и вязкий зной, не он поднялся на низенькое крылечко полицейского управления, а затем прошел по унылому полутемному коридору в комнату, где сидел унылый и полутемный следователь в унылом и полутемном парике.

— Добрый день, — сказал следователь по-английски. — Садитесь, пожалуйста.

Гуляев присел на указанный ему табурет, стоявший перед широким столом, который весь был заляпан темными полумесяцами и полными лунами от кофейных чашек. Одна из них стояла рядом с полицейским чиновником.

— Как доехали?

Он смотрел Гуляеву прямо в глаза и с терпеливым участием ждал ответа, словно его на самом деле интересовало то, о чем он спросил.

— Что я здесь делаю? — медленно, почти по слогам произнес Гуляев. — С какой целью меня сюда привезли?

Следователь перевел очень вежливый, если не сказать — робкий, взгляд на гостиничного начальника охраны и заговорил с ним по-гречески.

— Вы разве ему не объяснили?

Тот подошел к столу и склонился к самому уху следователя. Пока он шептал ему что-то, время от времени поглядывая то на доставленного постояльца своего отеля, то на лежавший перед ним компьютер, Гуляев перевел дух и сколько мог осмотрелся. На голове у следователя действительно был парик. Помимо этой детали, говорившей не столько о тщеславии, сколько о страхе перед общим жизненным поражением, в нем отчетливо просматривалась тяга к некой согбенности. Даже человека, от которого он ничуть не зависел, следователь выслушивал с таким участливым лицом и с таким вниманием, словно едва удерживался от извинений за то, что вообще о чем-то его спросил.

Гуляев, привыкший в своей академической среде к самым разнообразным формам и степеням человеческой согбенности, был удивлен тому, что повстречал ее вдруг в полиции, да к тому же в европейской стране. Это событие отвлекло его немного даже от его собственного странного положения.

Кивнув, наконец, начальнику охраны отеля, следователь посмотрел на сидящего напротив него Гуляева и приветливо ему улыбнулся.

— Значит, вы говорите по-гречески?

— Да.

Видимо, в машине по дороге сюда он бормотал текст из компьютера слишком громко.

— Можно взглянуть? — полицейский указал на лежавший между ними на столе ноутбук.

Гуляев подвинул к нему компьютер, и следователь, подняв крышку, чуть нараспев прочел вслух:

«...Однако права очевидца и участника событий вынуждали нашего сказителя сердиться на легкомысленную, так ему казалось, склонность своих слушателей к путанице и к неуместным, опять же по его мнению, в такой сфере как смертоубийство метафорам...»

Замолчав, он оценивающе покивал и даже слегка причмокнул, будто смаковал хорошее выдержанное вино.

— Это красиво. Вы — настоящий писатель.

Гуляев протестующе поднял правую руку, но следователь замотал головой, не давая ему сказать.

— Поверьте, мне часто приходится заполнять разные документы, и такие слова, как у вас, я бы ни за что не нашел. «Смертоубийство»... — он снова причмокнул. — Это очень красиво. Старинное слово, сейчас так уже не говорят. Откуда вы его знаете на греческом? Мы — скучные люди. Пишем в отчетах просто «убийство».

Следователь повторил слово «убийство» и с легким пренебрежением пожал плечами, как будто рядом с чужой крупной купюрой выложил на стол затасканную в карманах мелочь.

Гуляев покачал головой.

— Простите, но это не я написал. Я купил этот текст.

Они оба перешли с английского языка на греческий, и следователь, которому так было явно удобней, с удовольствием откинулся на спинку своего стула. С него как будто сняли обременительную и неприятную ему ношу.

— Купили? — Он поднял брови. — Зачем?

— Я не знаю... Так получилось.

— Извините, я могу быть свободен? — вмешался в их разговор начальник охраны, который все еще стоял за спиной у следователя.

— Да, да, конечно, — с готовностью обернулся тот.

— Подождите, — запротестовал Гуляев. — А как же я?

— Что — вы? — едва заметно поморщился начальник охраны, уже открывая дверь.

— Как я доберусь до отеля?

— А мы подвезем вас, — быстро сказал следователь. — Не беспокойтесь.

Гуляев нахмурился, помолчал, но потом все же кивнул.

— Хорошо.

Начальник охраны прикрыл за собой дверь, и ниточка, связывавшая Гуляева с беззаботной курортной жизнью, окончательно оборвалась.

Впрочем, следователь не дал ему возможности как следует осознать это.

— Узнаёте? — он положил на стол прозрачный пакетик с кольцом внутри.

Гуляев близоруко сощурился и склонил голову ближе к столу. Крохотное окошко, напоминавшее скорее отверстие для передачи пищи подследственным, едва пропускало то, что осталось от солнечного света после фильтра из ползучих растений, облепивших наружные стены полицейского управления.

— Да, узнаю. Я нашел его сегодня ночью под кроватью у себя в номере.

— Откуда вы знали, что под кроватью у вас в номере лежит кольцо?

— Я не знал.

— То есть вы не искали его?

— Нет.

— А зачем же тогда вы сломали боковые стенки у кровати?

Гуляев смотрел на следователя, прямо в его полные участия глаза, и понимал, что, наверное, не сумеет объяснить приступ ночной паранойи.

— Вы понимаете... — начал он.

— Нет, не понимаю, — тут же перебил следователь, не оставив ему даже самой жалкой возможности что-нибудь наплести.

— Но я хотел рассказать...

— Неважно, что вы хотели мне рассказать, — голос полицейского чиновника зазвучал вдруг совсем иначе, в нем практически не осталось и следа того участия, с которым он обращался к задержанному в начале их разговора. — Важно, зачем вы сломали боковые стенки. Если бы вы не знали, что лежит под кроватью, вам не было смысла их ломать. Согласитесь?.. Так откуда вам было известно, что там кольцо?

Гуляев замотал головой:

— Далось оно вам! Вы всех туристов допрашиваете из-за такой чепухи?

Следователь встал из-за стола, взял свою кофейную чашку и пошел с ней к двери. Открыв ее, он сунул чашку в образовавшуюся щель, и там кто-то с готовностью подхватил пустую посуду.

— Не всех, — сказал он, возвращаясь на свое место. — Тех, кто не обнаруживает важнейшую улику в деле о жестоком убийстве, мы не допрашиваем. Ни одного вопроса им не задаем.

— Убийство?.. — Гуляев хотел еще что-то сказать, но беспомощно смолк.

— Да, да, — кивнул следователь. — Или, если хотите, смертоубийство... Как написано у вас в рассказе.

Он указал на раскрытый компьютер.

— Это не я написал.

— Конечно. Вы уже говорили.

На несколько секунд в комнате воцарилась такая тишина, что стало слышно как шелестят трущиеся о наружную стену из-за порывов ветра ползучие растения. Чтобы прервать этот мертвенный шелест, Гуляев даже закашлял, хотя в горле у него ничуть не першило.

— А кто был убит? — выдавил он.

— Молодая женщина. Очень красивая. Тоже приехала из России. Правда, интересное совпадение?

— Я с этим никак не связан.

— Возможно. Однако вы знали, где искать кольцо.

— Я сам принес его на стойку администратора.

— Умно, — следователь одобрительно кивнул. — Рискованно и все же умно. Вы могли рассчитывать на то, что именно по этой причине вы окажетесь вне подозрения.

Гуляев всплеснул руками:

— Да я мог, вообще, не доставать из-под кровати это кольцо.

— И тем не менее вы это сделали. Возникает вопрос — зачем?

Следователь замолчал, и некоторое время они, как два истукана с острова Пасхи, неподвижно смотрели друг на друга.

— А может, подробней расскажете? — Гуляев наконец шевельнулся и с вызовом скрестил руки на груди. — Хотелось бы узнать, что произошло с той русской туристкой.

Он пытался хоть как-то перехватить инициативу и потому перешел в атаку. Ему надо было потянуть время. Надо было понять, как себя вести. Следователь явно играл с ним, и Гуляев решил, что ему лучше сделать вид, будто он тоже играет. Так, по крайней мере, он хотя бы не выглядел тем напуганным идиотом, которым себя в этот момент ощущал.

— Две недели назад, — негромко заговорил полицейский, глядя прямо в глаза Гуляеву, — в Пафосе, в районе старого Форта, была найдена мертвая женщина. На ее теле обнаружены следы пыток. Отрезаны два пальца — средний на правой руке и большой — на левой. Голова практически отделена от туловища. Судя по всему, погибшую душили металлической проволокой, которая в итоге разрушила мышечные ткани и разрезала шею жертвы до самого позвоночника.

Следователь сделал ребром ладони жест, похожий на движение ножа гильотины.

— Меня не было здесь две недели назад, — поторопился возразить Гуляев.

— А у нас другая информация. Человек с вашей фамилией прилетел на Кипр еще в прошлом месяце.

— Это не я! У меня много однофамильцев. Гуляев — очень распространенная фамилия в России.

— Мы проверим.

— Проверьте! Я уверяю вас, что имя и отчество не совпадут!

— Хорошо, хорошо, — следователь поднял правую руку, чтобы остановить отчаянный напор со стороны задержанного. — Вы же хотели узнать о преступлении.

— Да, извините. Я вас слушаю.

Гуляев даже сложил на столе перед собой руки, как делают послушные школьники в младших классах, когда внимают своей первой учительнице.

— На теле жертвы, — продолжил следователь тоном патологоанатома, диктующего отчет, — были обнаружены также многочисленные ножевые ранения. Кишечная полость вскрыта очень острым предметом — скорее всего опасной бритвой либо хирургическим скальпелем...

— Простите, — перебил следователя Гуляев. — А для чего вы мне сообщаете все эти ужасные подробности?

— Но... Вы же сами просили.

Его лицо под фальшивыми волосами выразило настолько фальшивое удивление, что Гуляев нервно рассмеялся и замотал головой.

— Нет, я спрашивал не об этом. Я лишь хотел узнать, в чем конкретно меня обвиняют, а вы обрушиваете на меня кровавые детали. Хотите ошеломить меня, сбить с толку, чтобы я от растерянности подписал все, что мне подсунут! Такие у вас методы?! Не выйдет! Со мной это не пройдет!

Следователь замахал на него руками.

— Да что вы! Даже в мыслях не было...

— Не надо! — вскочил с табурета Гуляев. — Думаете, напугали? Я сам о таких вещах могу рассказать, что ночь потом спать не будете! Вы про Нагорный Карабах слышали? У меня знакомый один есть, который участвовал там в боевых действиях. Так вот он мне рассказывал, что однажды солдаты из его подразделения в футбол играли отрезанной головой. В футбол! Человеческой головой! В двадцатом веке!

Гуляев уже кричал, размахивая руками, уплывая куда-то, теряясь в том ужасе, который пытался обрушить на ненавистного следователя.

— Вы успокойтесь, пожалуйста, — хлопнул тот, наконец, рукой по столу. — И сядьте!

Повернувшись к двери, приоткрывшейся на крик, он жестом показал, что все в порядке. Дверь тут же закрылась.

— Может, воды? — следователь испытующе смотрел на Гуляева.

Тот уже опустился на табурет и отвернулся к узенькому окошку. С улицы долетел долгий автомобильный гудок.

— Хотите воды? — повторил следователь.

— Нет, — ответил Гуляев, хотя очень хотел.

Несколько секунд в комнате стояла тишина.

— А на чьей стороне воевал этот ваш знакомый? — заговорил первым следователь. — Он армянин или азербайджанец?

Гуляев поморщился:

— Да какая разница? Обвинить кого-нибудь хочется? Или для вас политический аспект что-то меняет?

Следователь вздохнул и пожал плечами:

— В этом случае, наверное, нет.

— Вот именно... Так что давайте больше не будем играть в страшилки... Объясните лучше, каким образом найденное мною кольцо... — Гуляев кивнул на прозрачный пакетик, лежавший между ними на столе. — Как оно связано с погибшей?

По лицу следователя он вдруг понял, что попал в самую точку. Полицейский не успел скрыть мелькнувшую в его взгляде досаду, и Гуляев тут же уцепился за эту соломинку. Годы, проведенные в университетских аудиториях, и сотни принятых экзаменов выковали из него проницательного психолога. Его студенты знали, что любая попытка ловчить у него на зачете обречена на провал. Гуляев замечал всё.

— На каком основании вы уверены, что кольцо принадлежало именно этой женщине? — воодушевившись, продолжал он развивать свой успех. — Ведь на трупе вы его не нашли, коль скоро оно оказалось у меня под кроватью. Или оно пропало уже потом? Это вот так вы следите за своими вещественными доказательствами?

Сарказм, прозвучавший в последней фразе, был явно излишним, и Гуляев немедленно уловил это по насупившемуся лицу следователя, однако, даже поняв, что перегнул палку, продолжал наседать и в конце концов добился желаемого. Полицейский признал, что стопроцентной уверенности насчет этого кольца у следствия нет, однако по внешнему виду оно абсолютно соответствует снимкам, которые предоставил муж погибшей.

— То есть вы задержали меня из-за каких-то там фотографий? — снова не удержался от саркастических интонаций Гуляев.

— Да, — кивнул следователь. — Мы разослали их по отелям в надежде на то, что сотрудники найдут в номере или опознают у кого-то из постояльцев пропавшее вместе с отрезанным пальцем украшение. В итоге сегодня утром нам позвонили из «Элизиума».

— Великолепно! Значит, в таком важном деле, как убийство... Или — смертоубийство, как вам понравилось выражаться... Вы полагаетесь на полуграмотных горничных, которые не говорят ни на одном европейском языке, а вместо этого разглядывают фотографии... Отлично! Браво! Это просто новое слово в криминалистике.

Гуляев был уже почти в своей тарелке и модулировал голос так же красиво и чувственно, как он это делал на собственных лекциях. Финальная реплика о криминалистике должна была, по идее, уничтожить простофилю следователя.

— Эти бедные девушки, очевидно, знаками дали понять вам, что опознали кольцо на снимке? Вы отдаете себе отчет, что не сможете использовать их показания для идентификации улики?

— А нам этого и не надо, — пожал плечами следователь. — Мы ждем результата анализа.

— Какого анализа? — осекся Гуляев.

— Обычного. На кольце были обнаружены следы крови. Сейчас их идентифицируют на предмет совпадения с кровью жертвы.

Следователь посмотрел на часы и кивнул.

— Думаю, уже всё готово. Пойду, узнаю.

У двери он обернулся и подмигнул.

— Вы тут не скучайте. Поработайте, если хотите, — он указал на раскрытый ноутбук. — Компьютер у вас пока не забираю. В нем ведь модема нет?

— Нет, — Гуляев отстраненно покачал головой.

Он был похож на человека, который долго и трудно шел по болоту, избегая зыбкой трясины, затем выбрался наконец на более-менее надежный островок, но не успел перевести дыхание, как островок этот зачавкал и стал расплываться прямо под ним.

— Ну, вот и славно, — сказал следователь. — Потому что Интернет — это зло.

Подмигнув еще раз, он скрылся за дверью.

Гуляев сидел неподвижно несколько минут. В горле у него пересохло. Сердце билось громко и неровно, пропуская удары, иногда проваливаясь в какие-то ямы, ведомые одним кардиологам и перепуганным сердцам. Живот сводило тем гадким холодом, который прихватывает в самолете при сильной турбулентности или когда лайнер вдруг проваливается вниз. Гуляеву было страшно.

Он встал из-за стола и подошел к окну. Густая растительность снаружи не позволила ему ничего разглядеть. Он ощутил себя замурованным в склепе. Ползучие растения, облепившие крохотное окно, были венками, прислоненными к надгробию. Гуляев представил себе траурную плиту и свой лихорадочный глаз, выглядывающий из небольшого отверстия между буквами «л» и «я» в набранной золотом строке с его собственной фамилией. Задохнувшись от приступа жуткой клаустрофобии, он отшатнулся от незатейливой дырки в стене, которую тут выдавали за окошко, и вернулся к столу. Дышал он тяжело, как после бега, ступал неверно.

«Однако права очевидца и участника событий вынуждали нашего сказителя сердиться на легкомысленную, так ему казалось, склонность своих слушателей к путанице и к неуместным, опять же по его мнению, в такой сфере, как смертоубийство, метафорам...»

Гуляев перевел взгляд с монитора на дверь и прислушался. Ему показалось, что в коридоре прозвучал чей-то негромкий смех. Секунду-другую он смотрел в ту сторону, но дверь не открылась.

— Да пошли вы... — пробормотал он и, зажав уши ладонями, начал истово читать вслух:

«Размахивая культями и покрикивая, он горячо доказывал нашу неправду и постоянно приводил какую-то историю о деревянном коне и о хитрющем царе Итаки, который, окажись он на нашем месте, уж конечно, не вел бы себя так беспечно, и если бы даже сам не принимал во всем этом участия и едва ли ни придумал всю проделку, то после первого же рассказа любого нормального понюхавшего крови бойца, с отрубленными к тому же руками, сразу бы сообразил что к чему и какая огромная тактическая польза следует из подобной хитрости для тех, кто осадил несговорчивый город и уже не чает видеть стены его проломленными, а лучших жен — плачущими и покорными. Мы же на это соглашались с нашим хулителем, воздевали сокрушенно руки, скорбя о военно-тактической нашей бездарности, и, конечно же, тотчас забывали, кто там забрался в лошадиное чрево — троянцы ли, данайцы или, быть может, третья сторона — мало ли кому взбредет на ум против кого-то воевать и хитрить. Неужели необходимо запоминать всех этих драчливых, надутых вояк на одно лицо, расхаживающих подбоченясь туда и сюда в греческой истории, когда миру подарен столь восхитительный рассказ об обмане, сотнями нитей связанный с уходящими в туман прошлого и будущего забавными плутнями людей и богов, взаимно существующих, кажется, лишь для того, чтобы с озорством и жестокостью надувать друг друга или чтобы множить и множить эти истории с надувательством, глядящие одна в другую в бесконечном ряду зеркальных отражений, так что с ума сойдешь, если вздумаешь отыскивать самую из них первую, с которой, собственно, все и началось, и уж во всяком случае, свой затуманенный взор не обратишь на какую-то девчонку, проведавшую о новоявленной родне и решившую сбежать в тяготах нарождающейся похоти. Не обратишь, разумеется, если не усмотришь и здесь подобного ряда зеркал и двойников, перешептывающихся на понятном только для них языке и прекрасно осведомленных, насколько значительны и ужасны могут быть последствия взбалмошного, казалось бы, поступка одной вздорной девчонки...»

По той причине, что уши у Гуляева были крепко зажаты, он не услышал, как отворилась дверь и как в комнату для допросов снова вошел следователь. Постояв за спиной у задержанного и послушав немного его звучную декламацию, он протянул к нему обе руки, словно хотел отнять у него ладони от головы, но потом передумал и просто коснулся его плеча.

От неожиданности Гуляев сильно вздрогнул и, обернувшись, уставился на следователя, который благодушно улыбался ему в ответ.

— Ну вот, — сказал полицейский, гостеприимно разводя руками. — А вы беспокоились. Теперь все в порядке.

— Что в порядке? — не веря еще до конца в свою удачу, а только ее предчувствуя, выдавил Гуляев и попытался встать из-за стола.

— Да вы сидите, сидите, — опять улыбнулся следователь и слегка надавил ему на плечи. — Остались простые формальности.

— Какие формальности?

— Самые незначительные. Нам нужен ваш паспорт.

— Паспорт? — Гуляев озадаченно похлопал себя по карманам пиджака. — А у меня его с собой нет. Он у меня в номере, в сейфе.

— Ну, так проедем туда.

Следователь в третий раз лучезарно ему улыбнулся и широким размашистым жестом указал на дверь.

— Поехали! Чего вы сидите?

Полицейская машина оказалась гораздо просторней, чем та, на которой его привезли из гостиницы. Это ли, само по себе незначительное обстоятельство, или свалившийся камень с души, но так или иначе уже через пять минут после отъезда из полицейского управления Гуляев пришел в себя, и пейзаж, показавшийся ему по дороге сюда безжизненным, выглядел теперь интригующим, по-хорошему таинственным и даже обещающим замечательный вечер. Придорожные холмы, окутанные мягкими лиловыми сумерками, больше не таили угрозы, а то, что они почти напрочь лишены были всякой растительности, нисколько уже не угнетало, и даже напротив — почему-то радовало его взгляд.

— Скорее всего, и на ужин успею, — сказал, пряча невольную улыбку, Гуляев и посмотрел на часы.

Ему непременно хотелось общаться, сказать что-то такое очень мирное, снова курортное, не имеющее никакого отношения к смерти, допросам и преступлениям. Он хотел заговорить про местные достопримечательности, про холмы, про климат — любая тема годилась, лишь бы она подчеркивала, что сидевший на переднем сиденье человек больше не следователь для него, а слегка уставший местный житель, который должен гордиться своим родным островом и всячески нахваливать его, советовать известные одним киприотам дикие пляжи, самые лучшие рестораны и самые достойные марки вин.

Однако вместо этого человек на переднем сиденье, даже не обернувшись, сухо ответил:

— На ужин вам не хватит времени. Мы только туда и обратно.

Праздничные лиловые краски за окном мигнули, выцвели и погасли.

— Вы же сказали — остались небольшие формальности...

Гуляев почти физически ощутил, как машина вокруг него съеживается и становится тесной, словно гроб.

— Ну да, — следователь наконец обернулся. — Заберем ваш паспорт и проверим, когда конкретно вы прилетели. Чтобы все окончательно установить.

— Зачем? Вы же получили результаты анализа... Кровь не совпала ведь... Разве не так? Это же другое кольцо...

— Нет, нет, кровь совпала, — кивнул полицейский. — Это кольцо той самой убитой женщины. А вы что подумали?

В полумраке машины он вгляделся в помертвевшее лицо Гуляева и в притворной досаде пристукнул рукой по спинке своего сиденья.

— Постойте... Я что, ввел вас в заблуждение? О господи... Простите меня, ради всего святого. Я не хотел.

На мостике у входа в отель обнимались и хохотали те самые немцы, за которыми Гуляев наблюдал прошлым вечером. Жизнерадостный папаша обжимал своих спутниц, белея обнаженными старческими коленями. Под светлым его пиджаком виднелась легкомысленная голубая футболочка с надписью на английском «Рожден для серфинга», а ниже шли синие шорты. В свете украшавших подъездной мостик ажурных фонарей вся группа выглядела ожившим скульптурным ансамблем с классическим похотливым сатиром и его нимфами. Очаровательный фонтан, откуда они могли сбежать после того как ожили, радужно сверкал вечерней подсветкой в десяти метрах от входа.

В пустынном фойе Гуляев увидел русскоязычного официанта, до этого сильно раздражавшего своей назойливостью. Однако сейчас он так сильно и так искренне ему обрадовался, что следователю и сопровождавшему их полицейскому в форме пришлось заметно прибавить шаг. Гуляев бросился к официанту, пробежав за ним вдоль всей гигантской фрески с девятью музами и нагнав его уже у Эрато, обхватившей одной рукой Терпсихору, а другой Мельпомену. Стройные девушки на стене делали вид, что заняты исключительно своим вечным танцем. Разноцветные одежды их развевались, соблазнительные прически игриво трепал нарисованный ветер, и никого на этой стене как будто не интересовал странный русский, судорожно хватавшийся за рукав удивленного официанта.

— Послушайте, — торопливо повторял по-русски Гуляев. — Послушайте... Позвоните, пожалуйста, в российское посольство. Я не знаю там ни одного телефона. Сообщите, что у гражданина России возникли проблемы с местной полицией. Пожалуйста... Я вам заплачу.

Он вынул бумажник, но следователь, который остановился у него за спиной, удержал его за руку.

— Да что вы так нервничаете? Сами сможете позвонить. Я завтра выясню для вас номер. А может, вообще звонить не придется. Сейчас возьмем ваш паспорт, пробьем его и всё узнаем. Если вы действительно прилетели после убийства, у нас к вам вопросов больше не будет.

Все это следователь произнес на чистейшем русском языке. Гуляев оторопело смотрел на него.

— На Кипре многие говорят по-русски, — улыбнулся следователь и подмигнул. — Ваши соотечественники у нас желанные гости. Идемте, идемте.

Он увлек растерянного Гуляева к лифтам, где на стене со своих портретов сияли улыбками Мэтт Дэймон, Скарлетт Йохансон и все остальные баловни судьбы. Не улыбалась одна Моника Белуччи. Она смотрела на Гуляева прямо, строго и даже чуть осуждающе, словно знала, что происходит, и заранее принимала сторону следователя.

Отвернувшись, чтобы не смотреть ей в глаза, он увидел, что полицейский в форме о чем-то говорит с русскоязычным официантом. Они дружески улыбались друг другу, по-прежнему стоя у длинной фрески, и полицейский даже похлопал того по плечу. В голове у Гуляева, подобно измотанным нервным осам, немедленно загудели, забились о стекло подозрения, однако следователь слегка подтолкнул его к распахнувшейся с мелодичным звоном двери, и оба они дружно шагнули в лифт.

«Именно ее вздорность и не позволила нам взглянуть попристальней вслед Филомеле и заметить некоторые странные вещи, связанные с ее уходом...»

Гуляев с неестественно прямой спиной сидел на стуле посреди своего номера и, раскрыв ноутбук у себя на коленях, искал в тексте то место, где следователь прервал его в полицейском управлении.

«...странные вещи, связанные с ее уходом, — некоторую, например, нервозность, возникшую, как говорили потом, среди обитателей степи, по которой она двигалась, увлекаемая своим загадочным жребием, нарушая теперь гармонию не только человеческой обыденности, но и разумный, лишь на неискушенный взгляд устроенный хаотично уклад разных жучков, зайцев и недобрых сердцем собакоголовых, точно обезумевших теперь и напрочь бросивших природные свои занятия в погоне за неведомой для них и пагубной тайной женственности...»

Следователь стоял на балконе, оперевшись локтями на перила и глядя куда-то вниз. Гуляев исподтишка наблюдал за ним через оставленную открытой стеклянную дверь, однако стоило тому обернуться, как он тут же уткнулся взглядом в свой ноутбук.

«Позже к нам доходили сведения о том, как вели себя граждане степного царства, встречая и сопровождая эту избранницу прихотливого рока, вынудившую их бежать за собой, высунув языки, с остекленевшими от восторга глазами и летящими над землею лапами, способными бросить их вперед, счастливых и преданных, чтобы они могли врываться в норы, берлоги и лежбища с ревом: «Ее зовут Филомела!» – или, наоборот, – кинуться от избытка чувств на грудь ей, искусать, истерзать в упоенье девственное тело и лик, прекратив навсегда эту жизнь и ее старение, и оставив ее в степи навечно для утехи жаждущего красоты зверья...»

Гуляев не знал, зачем он это читает, но ему надо было непременно чем-то занять себя, иначе он бы просто завыл. Когда они вошли в номер, сейф оказался открытым, и никакого паспорта там не было. Скорее всего, он сам не запер дверцу ночью после того обыска, который устроил, испугавшись неизвестно чего.

Теперь они ждали полицейского, отправленного вниз на стойку администратора, где оформлявшие заселение девушки должны были сохранить ксерокопию паспорта. Не отрывая взгляда от монитора, Гуляев пытался припомнить — были у него с собой документы во время похода в Некрополь или нет. В суматохе всего, что там случилось, он запросто мог обронить паспорт в гробнице или уже потом, когда поднялся из нее и почти без чувств сидел на земле.

Следователь на балконе громко чихнул, а Гуляев с ненавистью подумал, как было бы здорово сейчас взять и столкнуть его вниз.

«Но, разумеется, они этого последнего, запретного и глубоко желанного, никогда бы делать не стали, хоть и мелькало в мыслях, ибо что же это была бы за женственность, когда бы одним только волнующим вздохом не усмиряла разнузданной силы, не притупляла клыков и разящей воинской стали, не превращала в наслаждение любое насилие, ею же к жизни и вызванное?»

Следователь чихнул еще раз.

— Будьте здоровы, — сказал Гуляев, с омерзением улавливая в своем голосе подобострастные нотки.

— Спасибо, — ответил тот и даже не обернулся.

Помимо Некрополя паспорт мог быть утерян на лужайке у пляжа, где Гуляев подсматривал за веселыми немцами. Развалился он там на лежаке весьма вальяжно. Документ легко мог выскользнуть на траву. В конце концов, его могли украсть горничные из открытого сейфа, если он и вправду забыл захлопнуть эту идиотскую дверцу.

— А мы могли бы пройти к пляжу? — подал неуверенный голос Гуляев.

— Искупаться решили? — усмехнулся и наконец посмотрел на него следователь.

— Да нет... Хотя, если честно, я еще не был у моря. Прилетел, а до пляжа так и не дошел.

— Там ничего интересного.

— У меня есть подозрение, что вчера я мог обронить именно там свой паспорт.

— Вы же говорите, что не спускались на пляж.

— Ну, не совсем там... Чуть ближе к отелю.

Следователь кивнул:

— Я прикажу обыскать окрестности пляжа.

— Вы знаете, мне бы хотелось самому...

— Думайте лучше о найденном вами кольце, — резко оборвал его следователь. — У вас все еще нет убедительной версии, почему вы сломали боковую стенку кровати.

Гуляев с тоской посмотрел в ту сторону, куда указывал обвиняющий перст собеседника, и тяжело вздохнул.

— Это все из-за той змеи...

— Вы о чем?

— Неважно... Все равно не поверите. Вернее, не сочтете это за объяснение... Жаль, что у той женщины вообще было кольцо. Лучше бы она не носила украшений... Как проститутки в эпоху Тиберия.

Следователь на секунду задумался, потом шагнул с балкона в номер и подошел вплотную к сидевшему на стуле Гуляеву.

— Намекаете, что она занималась проституцией? — он склонился так резко, что Гуляев уловил запах чеснока и оливкового масла. — Напрасно. Это была жена очень важного человека. У вас в Москве, кстати, важного — не у нас.

— Я ни на что не намекаю. Просто в правление императора Тиберия упадок морали в Риме достиг таких масштабов, что даже дочери и жены аристократов — очень важных, как вы говорите, людей — поголовно стали являться к эдилам за лицензией на занятие проституцией. Сейчас бы сказали, что это было в тренде. То есть модно, вы понимаете?

Следователь даже сощурился.

— А к чему вы мне все это рассказываете?

— Да всё к вопросу об украшениях, — несло дальше Гуляева. — Проституток, в том числе и среди «важных» дам, стало так много, что надо было их как-то обозначить. Видимо, приличные девушки слишком часто выслушивали на улицах непристойные предложения. В итоге Тиберий издал указ — никаких украшений на проститутках. Ни колец, ни сережек, ни кулонов, ни диадем. Все это надлежало доставлять к месту оплаченных утех в специальных ящиках. Там с клиентом — сколько угодно, но по улицам Рима профессионалки передвигались такими скромнягами... Представляю, сколько всего надевали на себя обычные девушки. Чтобы кто чего не подумал... Вы елку новогоднюю когда-нибудь видели? У вас тут на Кипре как празднуют Новый год? Слушайте, а может, в Индии тоже был какой-то такой запрет? И поэтому они так наряжают теперь своих невест на свадьбах?

Следователь ответил не сразу. Несколько секунд он молча смотрел в глаза Гуляеву.

— Я понимаю, что это у вас от нервозности, — наконец размеренно и в то же время с нажимом заговорил он. — Вы пытаетесь побороть страх. Но я прошу — не надо больше болтать. Меня это раздражает.

— А меня раздражает ваш парик! — неожиданно даже для самого себя выкрикнул ему в лицо Гуляев. — И запах чеснока тоже. Хватит нависать надо мной. Не испугаете! Я вам не какой-то жалкий воришка!

Следователь выпрямился и удивленно развел руками.

— С чего вы взяли, что у меня парик?

— С того, что вы весь фальшивый! И все у вас точно такое же. Ненастоящее!

— Хотите проверить? — следователь снова склонился к Гуляеву. — Можете потянуть меня за волосы... Тяните, тяните, не бойтесь.

В этот момент входная дверь хлопнула, и в номер вошел полицейский, отправленный к администратору.

— Девушки на ресепшен сказали, что позавчера ксерокс у них не работал, — проговорил он, в легком недоумении глядя на склонившегося перед Гуляевым следователя.

— Понятно, — выпрямился тот. — Значит, задержанный сегодня ночует у нас. А завтра с утра поищем утерянный документ на территории отеля.

Посмотрев на Гуляева, он поднял брови и плечи, как будто хотел сказать: «Тут уж ничего не попишешь».

— Я могу позвонить жене.

Взгляд, устремленный на следователя, был полон такой тоски и такой неугасающей, несмотря на очевидность происходящего, надежды, какая бывает во взглядах собак, навсегда оставляемых бессердечными хозяевами после короткого лета на дачах.

— Зачем?

— Она пришлет скан моего российского паспорта. В нем есть отметка о выдаче загранпаспорта с номером и серией. Вам ведь достаточно этих данных?

Следователь почесал пальцем кончик носа и кивнул.

— Да, номер и серия подойдут. Только давайте быстрей. У меня мама сегодня день рождения справляет. Я и так уже опоздал.

Следователь осуждающе посмотрел на свои часы, а Гуляев начал дозваниваться. После четвертой безуспешной попытки он стал набирать номер Ольги, но она тоже не отвечала.

— Звонок проходит, — бормотал Гуляев, поглядывая на следователя. — Гудки слышу... Просто трубку не берут почему-то... Может, не слышат?

— Хватит, — остановил его следователь и перевел взгляд на своего подчиненного в форме. — Уводи его.

Полицейский положил руку Гуляеву на плечо, и тот вдруг вспомнил искаженное странной улыбкой лицо сына. Когда призывников перед военкоматом стали усаживать в автобус, его Сережа выдавил жутковатую гримасу, растянув рот в нелепом и совершенно жалком подобии улыбки.

— Что с тобой? — спросил он его тогда.

— Ничего, пап. Это я смайлик делаю, чтоб ты не грустил.

Полицейский требовательно потянул Гуляева за плечо, но вместо того, чтобы встать, тот спрятал лицо в ладонях и вздрогнул от поднимавшихся, нараставших в нем слез. Собственное предательство стало настолько для него очевидным, что он просто не мог пошевелиться от горя.

— Да перестаньте вы, — сказал следователь. — Ничего страшного еще не случилось. Найдется завтра ваш документ.

Не отрывая ладоней от лица, Гуляев замотал головой. Он хотел сказать, что не от этого плачет, но слов у него не нашлось.

— Выведи его пока в коридор, — вздохнул следователь, кивнув полицейскому. — Я догоню.

Как только дверь за ними закрылась, он вынул телефон и набрал номер.

— Ну что, закончили там? — спросил его густой голос в трубке, не ожидая ни приветствий, ни представлений с его стороны.

— Да, все в порядке...

— Ну, так вези его в камеру, а сам давай скорее сюда. Твоя мама приготовила невероятную мусаку. Это какая-то бомба.

— Я... да, — замялся следователь. — Сейчас подъеду...

— Хочешь с нею поговорить? Вот она идет — передаю трубку.

— Нет, нет, нет! — замахал он свободной рукой. — Мне надо с вами обсудить кое-что.

— Обсудить? — в трубке насторожились. — Ты не нашел его паспорт?

— Да нет, я нашел. Документ у меня.

— Ну, а в чем тогда дело? Уничтожь его, а русского — в камеру. Убийца у тебя есть. Всё, дело раскрыто.

— Он действительно прилетел позавчера.

— Слушай, — голос в трубке заворочался, как пробуждающийся в клетке большой зверь. — У твоей замечательной мамы сегодня день рождения. Скоро у меня с нею свадьба. Ты что, хочешь испортить нам все эти праздники?

— Нет, я ничего не хочу испортить, — запротестовал следователь. — Но... Может, мы найдем того, кто на самом деле убил?

— Так, слушай меня и молчи, — голос отвердел и утратил все теплые ноты, которые в начале разговора еще можно было уловить в нем. — Искать настоящего — слишком долго. Русские требуют немедленного раскрытия. На меня давят из очень больших и очень широких кресел, в которых сидят самые обширные и самые крепкие на Кипре зады. Если ты протянешь с расследованием еще две недели, меня пнут из Штаб-квартиры под зад. Понимаешь? А я рассчитываю на обеспеченную тихую старость рядом с твоей мамой. И рядом с ее мусакой, кстати сказать.

В трубке послышался густой отрывистый смех, напоминавший ритмичное падение мешков с цементом на металлический лист с небольшой высоты.

— Сильно люблю ее баклажаны. Это без всяких намеков, сынок. Без обид, ты же меня понимаешь.

Мешки снова начали падать, и следователю пришлось изрядно подождать, пока их падение остановится.

— Я бы хотел, чтобы вы все же позвонили тем людям, которые давят на вас, — наконец твердо сказал он. — Мне нужно еще время.

В трубке все стихло.

— Алло... Вы меня слышите?

— Он же русский, — глухо прозвучал голос. — Русские всегда в чем-нибудь виноваты.

— Я прошу вас... Ради моей мамы.

На том конце глубоко вздохнули, прочистили горло и коротко ответили:

— Ладно, я попытаюсь. Подожди полчаса.

Следователь понял, что благодарность будет неуместна, и молча убрал телефон в карман.

Постояв посреди номера, он снова вышел на балкон, несколько минут сосредоточенно понаблюдал за шумной компанией англичан в ярко освещенном бассейне, а затем вернулся в комнату. Взгляд его остановился на раскрытом ноутбуке Гуляева. Следователь посмотрел на часы и взял компьютер с осиротевшего стула.

«Здесь необходимо сделать небольшую паузу в повествовании, которое, впрочем, и без того разворачивается не слишком поспешно, и сообщить о том, что Филомела, однажды удалившись из поля нашего зрения и углубившись в свою собственную, овеянную славой необоримого Эроса, историю, более не предстанет самолично пред нашим изумленным взором, а скроется за стенами царского дома во Фракии, предоставив нам возможность дослушивать сказки бывалого солдата, скоро, кстати, наскучившие, и следить за своей знаменательной судьбой каким-нибудь косвенным образом – через невразумительные, скажем, донесения разных сторонних вестников. После того, как первый из них...»

В дверь номера громко постучали, и следователь поднял голову.

— Войдите!

— А долго нам еще в коридоре стоять? — спросил полицейский, не проходя дальше прихожей. — Может, я отвезу пока задержанного?

— Нет, ждите.

— В коридоре? — Полицейский явно был раздражен своей участью мелкого винтика.

Следователь нахмурился, уловив едва прикрытый вызов у него в голосе, но потом все же кивнул:

— Хорошо, веди его вниз на веранду и возьми ему кофе. Я скоро приду.

— Кофе? На какие деньги? У задержанных брать не положено.

Следователь испытующе посмотрел в лицо своему подчиненному.

— У тебя что, нет пяти евро?

Полицейский поправил фуражку и твердо ответил:

— На кофе для задержанных — нет.

Следователь, который все еще стоял с гуляевским ноутбуком в руках посреди номера, вынул из кармана брюк мятую и слегка влажную пятерку, подошел к своему подчиненному и протянул ему деньги. Секунду помедлив, тот взял купюру и вышел. Экран компьютера дважды мигнул, но не погас.

«...После того, как первый из них привел нас, толпящихся вокруг него, сонных и слабых, в содрогание одним лишь жутким намеком на произошедшее в доме Терея и потребовавшее такого способа передачи случившегося, когда сама кровавая и безъязыкая, от боли мычащая невозможность сообщить весть уже является самой вестью, и вестью – настолько превышающей размеры простой почты, что говорить о ней можно только посредством донельзя изуродованных губ, языка и всего остального; после того как мы разошлись по домам и забрали с собой страдальца, обсуждая торопливо – можно ли ему есть и что могло бы служить для этой цели, не усугубляя мук бедняги и не тревожа подживающей раны, которая теперь ему заменяла рот; после всего этого и еще немногих жизненных подробностей, необходимых для того, чтобы наполнить каким-то содержанием несколько дней, городок наш, пустынный и притихший в опасливом ожидании, во время которого изредка кто-нибудь метнется от одного приземистого строения к другому — вот и вся жизнь, был разбужен однажды глухим вскриком и ропотом, и лошадиным храпом.

Мы глазели на спешивающихся всадников и понимали, что и это далеко не конец истории, начавшейся в доме кузнеца, который тоже исчез сразу следом за Филомелой, бросив наш инвентарь на произвол всеядной ржавчины и разрухи; что будут еще тревожные побудки и упасли бы только боги от изувеченных вестников. Проводя вновь прибывших в опустевшую кузницу, сметая рукавами лохмотья липкой паутины, мы заглядывали в глаза этих суровых играющих желваками людей во влажных от пота рубахах, а они хмурились, неловко отворачивались и говорили что-то об отозванном из Фракии или даже самовольно отозвавшемся посольстве великой Спарты, о том, что уж кто-кто, а они туда ни ногой и что их стратег — вон тот высокий, в красном, — хоть и приходится Терею названым братом, однако таких вещей, какие там вытворяют, терпеть ни за что не станет, будь в них повинен хоть названый, хоть кровный брат, даже отцу — и тому ничего такого не спустил бы, потому что, ну есть ведь предел человеческой разнузданности и бессердечию, и хватит уже, в конце концов, озадачивать богов подобными выходками, ибо разобраться во всей этой кутерьме, а тем более — управлять этим зыбким, переменчивым и диким людским племенем не под силу уже не только Зевсу, но и тем, кто породил его самого и вообще всё остальное...»

На столе ожил телефон. В первое мгновение следователь решил, что это тот самый звонок, без которого он не может уехать отсюда, поэтому резко вскочил со стула. Однако уже в следующую секунду он сообразил, что его собственный телефон лежит у него в кармане. На столе гудел и подползал от вибрации к самому краю мобильник, забытый растерянным и совершенно сбитым с толку Гуляевым.

Следователь смотрел на ползущий по столу сотовый, на его дисплей, где высвечивалось имя «Ксения Ненашева», и думал о страхе, возможно, уже охватившем ту женщину, что выслушивала сейчас длинные гудки где-то в России. Сам он давно уже свыкся со своими страхами, научился, когда того требовала ситуация, скрывать их от окружающих, и даже более того — чувство постоянной опасности, неуверенности, боязни разозлить начальство, потерять работу, обнищать, окончательно облысеть, заболеть раком, да мало ли что — стало настолько значительным в его жизни, что без него, без этого вечно сосущего чувства, он, наверное, не смог бы уже существовать. Страхи мотивировали его, двигали дальше, строили ему карьеру, заводили нужных друзей. Осознав, насколько они полезны, он перестал избегать их и покорно боялся всего на свете, называя это про себя «кормлением зверя». Теперь покормить своего зверя должна была женщина из Москвы.

Дождавшись, когда телефон дополз до самого края и с глухим стуком упал на ковер, следователь сел в кресло и продолжил читать.

«Устраиваясь на ночлег, спартанцы еще долго ворчали и сетовали на вероломного Терея, оглашая разоренное гнездо кузнеца своими жалобами и стенаньями, а наутро, опередив нас с подъемом, разложили по полкам свое снаряжение и, казалось, уже окончательно решили остаться у нас на житье, не поставив никого в известность о причинах, препятствующих отъезду — тем паче что таковых, видимо, не имелось, а налицо была просто растерянность, страх и злобное ожидание выхода растущему раздражению. За скукой для них в скором времени неотвратимо явилась потребность в мелких пакостных злодеяниях, и, разобрав однажды залежавшееся оружие, они взялись бить из луков одичавших, больных от одиночества и горя собак, которые немедленно разбежались в панике по всей степи, разнося дурные новости о городе, где теперь перестали кормить честных псов, а просто-напросто убивают их из лука. Спартанцы тем временем, освежив душу кровью, развязали языки и понемногу заговорили о том, что томило и мучило, поскольку главный повод к молчанию — стратег в красном — лежал на скамье, третий день ничего не ел и в собачьих празднествах не участвовал, хотя они уверяли друг друга, что он великий стрелок и что они обязательно приведут ему живую тварь, дабы и он потешился, разбудил сердце и прекратил невозможное, невыносимое свое лежание — поохотился, как бывало во Фракии, где теперь не то что охотиться, но даже и в небо ни один лаконец стрелять не станет, потому что именно это небо не разверзлось и не обрушило на виновных шквал огня, после того как их стратег посватался к этой чумазой девчонке, приблудившейся из степи, и ему было отказано, как будто он недостаточно знатен или силен для такой сопливой пигалицы, как Филомела, будь она хоть трижды сестрой царицы, и, главное, кем отказано — названым братом! Верно сделал стратег, что увел посольство — не пристало отказы выслушивать Спарте.

Они говорили это громко, возбужденно — почти выкрикивали, хлопая друг друга по плечам и посматривая в нашу сторону с таким выражением, словно им была непонятна наша подозрительность по поводу их энтузиазма и точно мы не догадываемся — о чем молчит их предводитель и что он скажет, если встанет со скамьи, обнаружив достаточный мотив, чтобы взорваться и сломать печати на устах, и может быть, таким мотивом, таким поводом как раз и явится бедная псина, приведенная для убийства, и стратег поднимется наконец и выйдет взбешенный на улицу, ибо как тут не взбеситься от радости, что есть все же существо, на котором можно выместить боль и тоску за перенесенный и в то же время — непереносимый позор случившегося, и бить, бить ее ногами, а отнюдь не застрелить деликатно из лука, пинать ее задыхающуюся, куда попало, но слаще если в голову до хруста или в живот, избивать до тех пор, пока, обезумев, не прыгнет из последних сил на мучителя, и тогда уже рассечь ее в воздухе пополам свистящим спартанским мечом, оставив нас в недоумении относительно причин, толкнувших Терея — нет-нет, не просто отказать в помолвке, это пусть себя утешают солдаты стратега, заботившиеся прежде всего о добром имени начальства, — а с позором изгнать из Фракии названого брата, как паскудного пса, виновного в святотатстве, ибо теперь уже было совершенно ясно, что ни о каком добровольном, исполненном благородной обиды отъезде и речи быть не могло...»

С момента разговора следователя и его начальника прошло уже около получаса. Ни один телефон в номере больше не звонил. На упавший со стола мобильник задержанного пришло какое-то сообщение, однако следователь не потрудился встать с кресла, продолжая читать. Ему нравился этот парень из Спарты, который посватался к Филомеле. Даже то, что Терей унизил его при всех, заставив уползать на коленях из тронного зала после неудачно сделанного предложения, вызвало у следователя скорее сочувствие, чем брезгливость. Он уже догадался о видах самого Терея на свояченицу и потому не удивился, когда фракийский царь взял ее с собой на охоту. Оскорбленный спартанец, тогда еще не покинувший Фракию, тоже напрашивался с ними, но был жестко поставлен на место. Терей, естественно, ни на какую охоту не поехал, а просто завез несчастную девицу подальше в горы и сделал с ней там все, что хотел. Чтобы она не рассказала сестре, он сначала планировал от нее избавиться, но потом пожалел — как позже выяснилось, на свою голову — и завез в глухое ущелье, выход откуда был известен ему одному.

Девица поселилась в шалашике, Терей повадился туда наезжать, а безутешной сестре было сказано, что Филомелу съели дикие звери — напали, убили и съели. И так бы у них все, в принципе, ладно сложилось, если бы эта беспокойная Филомела не взяла моду бродить по окрестным лесам в поисках выхода из ущелья. Терею она заявила однажды, что непременно найдет этот выход и тогда обо всем расскажет сестре Прокне. На взгляд следователя, она, как совершенно неопытная заложница, конечно, сама была виновата во всем, что дальше произошло. То есть, если бы она оставила Терею хоть какую-то лазейку, он бы, скорее всего, не повел себя так брутально, потому что «стокгольмский синдром», он же — синдром идентификации заложника, обычно проявляется не только у жертвы, но и у того, кто ее удерживает.

Однако Филомела своим заявлением его спровоцировала, и Терей взялся за нож. Отрезав девушке язык, он проявлял не крайнюю степень жестокости, по мнению следователя, а лишь необходимую меру предосторожности. Ему было важно защититься от утечки информации, а выбор метода характеризовал его скорее как человека гуманного и даже, наверное, влюбленного, потому что в противном случае он бы просто ее убил.

Тем не менее девица не успокоилась и приняла решение до конца испытывать судьбу. Выпросив — очевидно, на языке жестов, — оборудование для ткацких работ, она обманула размякшего от любви и угрызений совести Терея и выткала всю незатейливую историю их отношений на куске тряпки. После чего поместила означенную тряпку в седельную сумку Тереева коня.

Расчет оказался верным. Ее сестра Прокна, у которой, видимо, были причины сомневаться в верности мужа, действительно имела привычку досматривать его личные вещи. Обнаружив красноречивое послание своей якобы пропавшей сестры, она предприняла меры и проследила за ним, как только он снова отправился на охоту.

После освобождения незаконно удерживаемой девушки Прокна приняла решение отомстить неверному мужу. Вступив в преступный сговор со своей сестрой, она зарезала малолетнего сына Терея, который также являлся и ее собственным сыном, приготовила из его мяса рагу и накормила этим блюдом вернувшегося из очередного похода царя. Сообщив Терею о происхождении съеденного им мяса и воспользовавшись его состоянием аффекта, обе сестры покинули царский дворец и скрылись в неизвестном направлении.

Поиски преступниц оказались безрезультатны. Для повышения эффективности поисков Терей сначала назначил награду, а затем стал казнить всех, кто отчитывался о невозможности найти сбежавших сестер. В итоге он был оставлен ближайшими подчиненными и обратился за помощью к стратегу из Спарты, который по-прежнему находился в столице Фракии. Получив от него отказ, Терей с позором изгнал его за пределы города, после чего все представители спартанского посольства прибыли в ту самую деревушку, где начиналось действие купленного Гуляевым рассказа и где Филомела появилась в тексте в первый раз.

Через осведомителей Терею стало известно местонахождение спартанцев, а так как они не спешили покидать территорию Фракии, он пришел к выводу, что стратег обнаружил сбежавшую Филомелу, которую не хотел выдавать ему, поскольку сам был в нее влюблен.

С целью, очевидно, запугать соперника Терей начал присылать в деревушку людей с вырванными языками. Первый из них был зарублен стратегом, последующие — изгнаны в степь. Спартанский лидер долго не мог принять решение относительно своих дальнейших действий. Возвращение во фракийскую столицу было чревато угрозой его жизни и безопасности всех его подчиненных. Бесславный отъезд домой в Спарту ставил крест на его карьере дипломата и военачальника. В конце концов эти сомнения были разрешены самой природой. Деревушка внезапно подверглась небывалому нашествию ласточек, полчища которых буквально обрушились на каждый дом, и спартанцы поспешно покинули кишевшее птицами поселение. Как только они выехали за пределы деревни, негласное решение направить коней в Спарту было принято между ними само собой. Нашествие ласточек после их отъезда немедленно прекратилось.

Дочитав совершенно поглотивший его пересказ античного мифа и опустив крышку ноутбука, следователь посмотрел на часы. Прошло уже значительно больше часа. Он вынул свой телефон и увидел, что пропустил сообщение. Его начальник требовал, чтобы он перезвонил.

— Ты где там пропал? — снова заворочался в трубке медвежий голос. — Развлекаешься в роскошном отеле? Понимаю! Девушки там — будь здоров...

— Я насчет русского, — перебил его следователь. — Вы позвонили наверх?

— Да, — погрустнел и потерял всякий интерес к жизненному веселью голос. — Вези его в камеру сынок. Он виноват.

Следователь вздохнул и помолчал несколько секунд.

— Вы уверены? — наконец спросил он.

— Ты что, в моих словах вздумал сомневаться? Я тебе говорю — он виноват. Все остается в силе.

Следователь сунул телефон в карман, постоял посреди номера, а затем начал собирать и складывать вещи Гуляева в его красивый и, судя по виду, дорогой чемодан.

СЕМЕЙНЫЙ СЛУЧАЙ

О смерти отца Александр узнал во вторник. Вернувшись из института, он приготовил ужин, сходил за дочерью в детский сад, погладил ей платье и ленты на завтра, поработал с текстом своей диссертации, вычеркнув две страницы о шекспировской мистике, на которые до этого потратил целое утро, и уже читал дочери перед сном про каких-то страшных грузинских дэвов, когда на кухне затрещал предусмотрительно унесенный туда телефон.

Трещал он потому что Анна примерно месяц назад стащила его, как пойманное животное, за шнур с телефонной тумбочки, и теперь он издавал не звонки, а предсмертные хрипы.

— Саша! Саша! Алло, это Саша?

Сквозь помехи дальней междугородней связи он узнал голос младшей сестры.

— Это я, Лиза. Что ты хотела?

— Саша! Я тебя плохо слышу! Саша... Папа умер... Я не знаю...

Голос ее захлебнулся и на секунду пропал.

— Лиза! Ничего не слышно! Что ты сказала?

— Папа умер. Мне очень страшно. Кто-то бросил камень в окно...

— Постой, Лиза... Подожди... Какой камень?

— Саша, папа умер. Что мне делать, Саша?

— Лиза...

Он замолчал. Настаивать на своем непонимании было нечестно. Защита требовалась не ему. Лизе было двенадцать лет. Он представил ее одну в квартире с мертвым отцом, беззвучно завыл и стукнул кулаком в стену. Звук от удара получился негромкий, потому что стена была капитальная, и боли Александр при этом почти не почувствовал. Просто слизнул с костяшек известку и кровь.

— Ну что ты молчишь, Саша?

— Лиза, иди к соседям. Слышишь меня? Переночуй у них, а завтра утром я прилечу.

— Папа с ними со всеми поссорился. Они со мной даже не разговаривают...

— Иди к ним, Лиза. Я завтра за тобой приеду.

— Хорошо.

— Попроси у них снотворное. Когда ты проснешься, я буду уже там.

— Хорошо.

— Не волнуйся, все будет в порядке.

— Ладно.

— Как только повесишь трубку, выходи из квартиры и запри дверь на ключ.

Опустившись на табурет, он просидел без движения минут десять. Радио все это время никчемно рассказывало о президентском правлении, о новых планах Горбачева и о чем-то еще. В самом начале, едва положив трубку, Александр стал было опускаться на колени, даже не понимая зачем, но потом вдруг подумал: «Зачем?» — и остановился. Стесняясь самого себя, он на секунду замер, затем коснулся рукой пола, помедлил и, наконец, уселся на табурет.

Через десять минут полной тишины ему показалось, что в прихожей кто-то легонько перебежал от входной двери к ванной комнате. Быстро поднявшись, Александр выглянул из кухни, но никого в коридоре не обнаружил. В спальне у дочери он включил настольную лампу и, стараясь не шуметь, подошел к детской кровати. Анна, раскинув руки, крепко спала.

— Ерунда какая-то, — пробормотал Александр и погасил свет.

Возвращаясь на кухню, он вдруг замер на полпути, пораженный странным воспоминанием. Давным-давно, когда он сам был едва старше своей крохотной Аньки, родители ни на минуту не могли оставить его в комнате одного. Он тотчас начинал плакать оттого, что ему казалось, будто за спиной у него кто-то стоит. Даже потом, уже в школьные годы, он часто страдал от этого ощущения и потому с диким скрежетом разворачивал свой письменный стол так, чтобы сидеть непременно спиной к стене. На полу оставались глубокие царапины, а в сердце его матери — такое же глубокое беспокойство по поводу, не дурачок ли у нее сын. Несколько раз, отрывая глаза от книги или учебника, он видел, как в соседней комнате кто-то мелькал, хотя в квартире, кроме него, в этот момент никого не было.

Издеваясь над его страхами, отец иногда делал вид, что уходит на службу, а сам прятался где-нибудь в ванной и, спустя какое-то время, начинал скрипеть дверью, царапаться и покашливать. Недоразумение вскоре, конечно же, разъяснялось, однако маленький Александр мог еще долго с недоверием смотреть на его смеющийся рот и красивые блестящие зубы, думая о том — настоящее ли все это, и не был ли настоящим тот, кто, может быть, все-таки ушел из дома полчаса назад.

Проходя теперь мимо двери в ванную комнату, он приоткрыл ее и заглянул внутрь. Лет пятнадцать тому назад там вполне мог оказаться отец. До исчезновения матери он любил быть веселым. Шутки прекратились после того, как в одно прекрасное утро, не сказав никому ни слова, она вышла на минуту из квартиры к соседям и не вернулась. Дело там было в каком-то увозе, в какой-то нелепо вспыхнувшей страсти, в какой-то мороке, глупости и неразберихе.

По незначительности возраста Александр тогда так ничего и не понял, однако урывками запомнил страшную ярость отца, потом его отчаяние и смутные разговоры с ним, Александром, о смерти. Позже ему удалось узнать уже через третьи лица, что вся история закрутилась, пожалуй, слишком стремительно. Настолько быстро, что никто даже и глазом не успел моргнуть. Были зеленые «Жигули», непонятные отлучки, кажется, была ложь, затем наступила зона молчания и, наконец, побег в одних шлепанцах и тонком халатике практически на голое тело.

Вся эта внезапность и цыганщина, разумеется, были не зря. Отец потом часто оставлял Александра с восьмимесячной Лизой у бабушки, а сам уезжал куда-то на два-три дня, всякий раз укладывая в старенький портфель газету «Правда», банку тушенки, синий спортивный костюм с надписью «Динамо», чтобы переодеться в поезде, и табельный пистолет Макарова.

Три года спустя за эти отлучки его уволили со службы на пенсию, и он стал сутками лежать на диване, вставая лишь для того, чтобы намазать себе маслом огромный кусок хлеба или погладить оставленную ему в утешение военную форму, которую он, в общем-то, уже никогда не носил, а потому и непонятно — зачем гладил. Потом он, видимо, стал замечать в лице сына сходство с чертами убежавшей от него жены, и с этого момента жить Александру стало непросто.

Из бесконечного потока придирок, упреков и брошенных в гневе слов Александр с тревожащей его самого легкостью всегда вспоминал одну и ту же безобразную сцену. Вернее, он даже и не вспоминал ее. Она как бы всегда была наготове. Стоило ему только слегка расслабиться, как ее вечно недобрые тени окружали его и устраивали свой бесконечный шабаш.

Однажды ночью отец неожиданно поднялся с постели. Включив свет во всех комнатах, он пооткрывал все шкафы и тумбочки и стал беспорядочно вываливать их содержимое на пол. Маленькая Лиза от шума и от яркого света сначала заплакала, а потом, гулко ударившись, выпала из кровати. Александр очень ясно запомнил, что при падении она именно гулко ударилась головой. Отец подобрал ее и, продолжая держать в одной руке, другой расшвыривал лежавшие в беспорядке на полу вещи. Лиза ему, по-видимому, сильно мешала, но он ее не отпускал, а только чуть-чуть подбрасывал, чтобы удобней перехватить. От этих подбрасываний она окончательно испугалась и стала громко кричать.

Через несколько минут Александр понял, что отец отбирает и сваливает в одну кучу вещи, некогда принадлежавшие его матери. Туфли, колготки, заколки, синий плащ, черное и белое платья, фотографии, что-то еще. Перехватив Лизу левой рукой поперек туловища, он лихорадочно метался по всей квартире, а маленький Александр словно хрупкая, перепуганная тень неотступно следовал за ним из комнаты в комнату.

Всякий раз, когда отец перебегал из спальни на кухню или в прихожую, кричавшая голова Лизы проносилась мимо дверных косяков в считаных сантиметрах, и Александр усилием своей совсем еще небольшой воли подавлял приступы тошноты, боясь, что отец в один из таких моментов может качнуться, толкнуть дверь и та, возвращаясь после удара о стену, наткнется, наконец, на болтающуюся из стороны в сторону голову, и крик тогда прекратится, и будет страшная, никому не нужная тишина. И что им тогда останется делать — ему и его полусумасшедшему, больному от горя отцу?

— Отдай, папа, Лизу мне, — повторял он, и голос его срывался от страха. — Не убегай от меня, папа. Не убегай.

Он быстро охрип и вскоре уже только сипел. Лицо его покраснело, глаза от слез опухли и превратились в тонкие щелочки. Узкая грудь вздрагивала под застиранной майкой. Лямка сползла с плеча. Где-то на кухне он сильно ударился левым коленом о стул и потому, хромая, шипел и кривился от боли.

— Ничего, ничего, — бормотал отец. — Не реви, Саня... Сейчас мы тут всем устроим. Мы им устроим, сучкам... Ей все равно эти вещи уже не нужны. Ей там другие купят. Там у людей машина. Денег полно... Мы эти шмотки, знаешь чего? Мы их сейчас сожжем. Нам они на фига? Она ведь, считай, покойница... Померла твоя мамка... Считай, подохла.

При этих словах маленький Александр неожиданно остановился и резко покачнулся всем своим дрожащим, смертельно уставшим телом. Отец успел убежать в ванную комнату, но, там, очевидно, не обнаружив привычного умоляющего говорка за спиной, выскочил в коридор и тоже застыл как вкопанный.

— Ты чего, Саня? — склонился он к сыну. — Плохо тебе? Может, воды принести? Давай, лучше ложись. Тебе чего надо? А, Саня? Чего ты хочешь-то? Ты скажи! Чего молчишь, Саня?

А тот, покачиваясь от дурноты, посерев лицом до неузнаваемости, заострившись чертами до покойницкой худобы, скалил зубы, прикрывал глаза рукой и, казалось, вот-вот должен был свалиться замертво.

— Саня, Саня! Ты кончай, давай! Перестань! Чего хочешь? Скажи — я сделаю.

В это мгновение маленький Александр неожиданно остро ощутил всегда окружавшие его, но именно теперь вдруг ставшие невыносимыми запахи их семьи — табачный перегар из отцовского рта, зловоние помойного ведра на кухне, сладковатый запах собственной слабости и испарины. Его опять затошнило, однако он еще успел скрежетнуть зубами и даже вполне внятно произнес: «Я хочу, чтобы ты сам подох, сам чтоб сдох. Ты — а не моя мама». После этого он глубоко вздохнул и, потеряв сознание, упал лицом вперед, минуя выставленную отцовскую руку.

* * *

Под утро, когда все предметы в спальне стали приобретать свои дневные, законные очертания, Александр внезапно проснулся, отбросил влажную простыню и, резко поднявшись, опустил ноги на пол. За окном серело предрассветное небо. Из соседней комнаты доносилось посапывание крошечной Анны. За письменным столом Александра спиной к нему сидел отец.

Одетый в военную форму с погонами капитана, он что-то читал и время от времени характерным для него движением ерошил волосы на затылке. Рядом с ним на столе громко тикал старый будильник.

Александр попробовал встать, но тело неожиданно перестало его слушать. Руки, охваченные странным оцепенением, нельзя было даже на сантиметр сдвинуть с тех мест, где они оказались, после того как он резко вскочил. Ноги превратились в конечности паралитика и беспомощными столбами упирались в пол. Спина одеревенела, шея не поворачивалась, пальцы обратились в чугунные отростки. В испуге Александр хотел закричать, но, кроме легкого стона, ему не удалось выдавить из себя ни звука. Язык тоже не повиновался ему.

В бесконечном течении следующих десяти минут ровным счетом ничего не переменилось. Фигура за столом продолжала перекладывать листы из напечатанной вчера вечером Александром главы для его диссертации, а сам он по-прежнему без движения смотрел ей в спину и как заклинание мысленно повторял одну и ту же фразу: «Только не оборачивайся». Ему отчего-то казалось, что вместо лица у этого сидевшего за его письменным столом существа непременно должно быть что-то ужасное.

Потом он вспомнил, как бабушка советовала в таких случаях материться. Покойники, по ее словам, сильно не любили матерной брани. Он хотел выругаться про себя, но вместо этого к нему пришли совсем другие слова.

«Зачем ты, мертвый труп в воинственных доспехах, вступаешь вновь в мерцание луны? — зазвучало у него в голове. — И нам, таким простым и глупым, потрясаешь сердце загадками, разгадок у которых нет? Зачем? К чему? И что нам делать?»

Александр заметил, что в поведении фигуры за столом появилось что-то новое и как будто бы угрожающее — казалось, она хотела теперь обернуться или даже встать, но, несмотря на вполне очевидные усилия, ей это совершенно не удавалось. Зато сам он вдруг снова обрел полную свободу и, стараясь двигаться плавно, закинул ноги на постель, улегся, закутался в простыню, повернулся на правый бок и закрыл глаза.

Прошло еще минут десять. В комнате не раздавалось ни звука. Александр, не открывая глаз и сдерживая дыхание, прислушивался к любому шороху. За окном по центральной улице один за другим проехали три автомобиля. Последний остановился, хлопнула дверца, и два мужских голоса быстро о чем-то заговорили. Потом машина уехала, и несколько минут стояла абсолютная тишина. Только будильник на столе звонко отщелкивал свою ночную скороговорку.

Александр, наконец, решился открыть глаза. Прямо перед ним, буквально в каком-нибудь полуметре, стоял отец. Нагнувшись, он опустил свое лицо почти к самому лицу сына и пристально рассматривал его. Открыв глаза, тот вздрогнул всем телом и даже как будто хотел оттолкнуть отца, однако, увидев его теперь не со спины, а в лицо и, главное, увидев его нормальность, подчеркнутую неужасность и даже, наоборот, — привычную отцовскую печаль и усталость, Александр покачал головой, натянул на себя простыню и уже оттуда, из-под простыни, тихо сказал:

— Я этого не хочу... Пожалуйста. Мне спать надо. Завтра будет очень тяжелый день.

Рано утром он собрал в дорогу вещи для себя и для Анны, они позавтракали и через четыре часа были в том городе, где он когда-то родился.

Долетели нормально, если не считать приставшей к нему мысли о смерти.

«Упади сейчас самолет, — думал он, — и я, пожалуй, быстрей повидаюсь с отцом, чем лететь куда-то в такую даль».

Весь полет Анна сидела у него на коленях и стригла игрушечными ножницами журнал «Здоровье». Бумажки разлетались в проход, стюардессы их поднимали, Александр думал о смерти. Перед посадкой Анна устала, уронила свои ножницы под кресло и начала задумчиво теребить ушко.

— Это нехорошо, — сказала Александру пожилая женщина, сидевшая через проход. — Так проявляются первые эротические реакции. Я вам как специалист говорю. За девочками нужно следить.

— Да, да, — ответил Александр и стал смотреть на большое облако.

Добравшись до своего прежнего жилья, он наугад начал звонить в соседние квартиры, но Лизы ни в одной из них не оказалось. У двери в квартиру отца он стоял целую минуту. Анна терпеливо ждала, постукивая время от времени ножкой по железной решетке перил. Наконец Александр нажал кнопку звонка.

— Приехал! — закричала Лиза, открыв ему дверь и убегая куда-то в глубь квартиры. — Приехал! И Аньку привез!

В прихожую выглянул отец. Лицо его смеялось. Потом рядом с ним вынырнула голова Лизы. Александр смотрел на сестру, на ее смеющийся рот и красивые блестящие зубы, а маленькая Анна выглядывала из-за него, стесняясь этих незнакомых, громко хохочущих людей.

— Ну и шутки у вас, — сказал Александр. — И эта тоже туда.

YOU ARE VIEWINGFOOLHUNTER'S JOURNAL

PARADISE FOUND

foolhunter

June 17th, 20:55

КЕДЫ

С утра пошел постригаться. Пока шел, наступил вечер. Так было неохота. Но Красный сказал, что на медкомиссии стрижку заценят. Военные любят, когда ты лысый. Может, мне еще форму заранее прикупить? Чтобы вообще от радости прослезились. Такой клевый воин пришел. Давайте возьмем его в генералы. Или, наоборот, сразу уволим в запас. Короче, сел постригаться. А там, в этой парикмахерской, у них ни кондиционера, ни фига. Духота, каким-то одеколоном воняет, и пух этот клочьями по всему полу. В общем, сижу, чихаю, жду, когда Собянин забьет на свои пробки, начнет с тополями бороться, всю плешь переели. А парикмахерша мне говорит — вы бы перестали чихать, а то я вам ухо отрежу. Я говорю ей — режьте, может, тогда в армию не возьмут. Она говорит — вы поэтому такой грустный? Я говорю — ну как вам сказать. Короче, постригла. Сама такая мелкая, черненькая и худая. Я говорю — вас как зовут? Она говорит — Амира. По-арабски значит принцесса. Я говорю — клево. У принцесс еще ни разу не стригся. Хотите со мной пойти? Она говорит — куда? Я говорю — кеды покупать. Давно хотел приличные завести, но вот армии опасался. Думал — на фига они мне, если после диплома сразу же заберут. А сегодня решил назло всем закупить. Пусть лежат. Кеды ведь не девушка, они меня бетон дождутся. Эта Амира смотрит на меня и говорит — бетон? Я говорю — в смысле наверняка. Поможете выбрать? Она снимает свой фартук и говорит — не вопрос.

(3 comments — Leave a comment)

krasnoperetz

2011-06-18 01:44 am (UTC)

А ты не мог раньше сказать, что ночевать не придешь? Я бы Таньку привел. Упырь. Только о себе думаешь.

masya212

2011-06-18 08:57 am (UTC)

В магазине, что ли, на ночь остался? Купили кеды-то?

krasnoperetz

2011-06-18 11:44 am (UTC)

О, привет, Машка! Я думал, ты в Санин блог уже не заходишь. Как там в Питере? Всё ништяк? Рокер твой тебя еще не затрахал? Ты если что обратно давай. Саня реально без тебя чего-то не то исполняет. А я свалю сразу из комнаты, если что. Кстати, в холодильнике это ты полку сломала? Хозяйка зашла нас проверить и по жесткачу сразу наехала. С тебя полка, короче, как приедешь в Москву.

foolhunter

June 18th, 15:21

НЕ В МАГАЗИНЕ

И кеды мы не купили ни фига. Эта Амира там устроила такой отжиг, что нас охрана сразу попёрла. Арабская принцесса еще в метро прикалываться начала, а когда в «Европейский» вошли, я уже как-то даже засомневался. Девушка не то чтобы не в себе, но весьма такая своеобразная. Короче, заходим в один большой магазин, музыка там, движуха, все как положено, и эта Амира сразу к местной девчушке — если у вас будут вопросы, говорит, вы обращайтесь. Потом к следующему продавцу подходит — я могу вам помочь? И такими приветливыми на них глазами смотрит. Я говорю — вы извините, мне кеды нужно купить, а продавцы уже на охранника у входа косятся. Я этой Амире шепчу — ты чего творишь? А она мне — да эти консультанты всегда так прикалываются. Ни в один магазин просто так войти нельзя. Вечно с вопросами лезут. Пусть сами теперь узнают. Я говорю — блин, мне просто кеды были нужны. Чтобы в армии про них вспоминать. А она говорит — тебе что, больше вспоминать нечего? Я говорю — есть, только все остальное мне не нравится. Я про это в армии вспоминать не хочу. А кеды — нормально. Кеды не напрягают. Даже наоборот. Она говорит — короче, забей. Будем наращивать тебе воспоминания. Как волосы в клинике Реал Трансхаер, помнишь такая реклама была? Ну, я подумал, подумал и говорю ей — давай.

(7 comments — Leave a comment)

masya212
2011-06-18 04:04 pm (UTC)
Баюшкин, ты совсем долбанулся? Это же гастарбайтерша. Ты с кем связался?
krasnoperetz
2011-06-18 05:12 pm (UTC)
Я тебе говорил, Машка, он совсем не то исполняет. Саня, короче, давай домой. Тут повестку тебе еще одну притащили. Меня, между прочим, заставили расписаться. А вдруг они теперь и ко мне прицепятся. Ты где? И телефон на фига выключил?
zombotron
2011-06-18 08:01 pm (UTC)
Вы посмотрите, как Маша-то завибрировала. Прямо как будто не она уезжала месяц назад отсюда с каменным лицом. А ведь сколько че-

ловек ее уговаривало остаться. И Саша бы тогда в аспирантуру документы подал. И никакой армии.

masya212

2011-06-18 08:04 pm (UTC)

Вы бы не вмешивались в чужие дела, Андрей Рудольфович. Или в вашем возрасте своих дел уже настолько вот не хватает?

zombotron

2011-06-18 08:07 pm (UTC)

Надеюсь, это не попытка быть остроумной?

foolhunter

2011-06-18 10:15 pm (UTC)

Красный, телефон сел. Зарядки нету. Если хочешь, приводи Таньку. И завтра, наверное, тоже. Скорми ей черешню, а то пропадет.

krasnoperetz

2011-06-18 11:24 pm (UTC)

Не пропадет. Я уже все подъел.

foolhunter

June 19th, 03:15

КАЗАНТИПА НЕ БУДЕТ

Все мои варианты она прокинула. Крутилась вокруг меня на этом скейте, смеялась и повторяла, что я туплю. Какой Казантип — говорит. Какое «Нашествие»? Наганджубасишься там и будешь голышом в море как обезьяна скакать. Я говорю — «Нашествие»-то в Завидове, моря там вроде нет. Она говорит — да без разницы.

Все равно это никакие не воспоминания. Ты что, будешь в армии в этой про ганджубас думать? Я говорю — ну хотя бы. Ганжубашка — друг, про него тоже не грех вспомнить. А она говорит — не тупи, там наверняка этого добра тоже навалом. Мой папа любил повторять — свинья всегда себе грязи найдет. Реально продвигал эту поговорочку. А если он прав, то ты на грани логической ошибки. Какой смысл вспоминать о том, с чем ты даже не расставался?

Короче, я, как балерина, кручусь на одном месте, чтобы на нее смотреть, а рядом еще этот мелкий бухтит. Я говорю — а ты всегда в парикмахерской работала, такая умная? Она говорит — я там родилась. Дай пацану еще полтинник, а то задолбал. Я протягиваю мелкому пятьдесят рублей, а он — ни фига, теперь с тебя уже сотка. Или пусть эта черная скейт вернет. Амира ему говорит — за черную сейчас у меня отхватишь, а мелкий отвечает — я свистну, со всей Поклонной пацаны набегут, сама отхватишь. Я ему говорю — ты сотку свою получил? Отвали хотя бы на полчаса, никуда твоя доска не денется. Амира мне говорит — дипломат. Смотри какую штуку умею делать. И прыгает на этом скейте. А он под ней прокручивается. Я говорю — в парикмахерской научилась? Она смеется.

Короче, в итоге она задвигает следующую тему: воспоминания — это не так уж важно, они на плаву не удержат. Главное — к чему ты стремишься, чего ты ждешь. Как манны небесной. Я говорю — или как гречки. Она говорит — в армии вообще-то перловку дают. Я ей — ты-то откуда знаешь. Она говорит — у меня папа был в Азербайджане офицер. Когда еще там ваша армия стояла. Я говорю — круто. А сейчас он кто? Она снова подпрыгивает на скейте и говорит — никто. Его сейчас нет. Он другим занят. Я ей — ну не хочешь, не говори. Только я не знаю, к чему я стремлюсь. Точно не к перловке.

Она спрыгивает наконец с этого скейта и говорит — мы все стремимся к незавершенному. Я говорю — в смысле? Она смотрит на меня так серьезно, хотя видно, что запыхалась, и говорит — я в детстве, когда у бабушки в деревне была, на чердаке нашла старую книжку «Дети капитана Гранта». Все лето ее перед сном читала, но дочитать так и не смогла. Я говорю — почему? Она говорит — книжка не вся была. Половину кто-то оторвал. Я даже не знаю, сколько там страниц не хватало. С обложкой оторвали напрочь. Так что я до сих пор не в курсе — нашли они своего отца или нет. Я говорю — и что? Она отвечает — мне от этого жить интересно. Они там в Патагонию какую-то собрались. Даже не знаю, где это. Вот все еще плывут. Я говорю ей — так дочитай. Она смеется — нет, пусть плывут. Надо и тебе такую фишку придумать. Чтобы ты из армии вернуться хотел. Я говорю — я и так хотеть буду. Она головой мотает — это другое. Надо обязательно что-то недоделать. Тогда у тебя будет сильный мотив. Надо начать что-то и не закончить. Во-первых, останется воспоминание, а во-вторых — непонятки. С непонятками жить намного прикольней, это уж ты поверь мне. Я говорю — ну ладно, поверю. А что будем делать в этом направлении?

(3 comments — Leave a comment)

masya212

2011-06-19 08:40 am (UTC)

Пипец, она тебя разводит. Меня просто зло берет, Баюшкин, ты реально тупой.

krasnoperetz

2011-06-19 10:16 am (UTC)

Нет, ну а почему сразу тупой? Вот Машка всегда так — сама уехала и все у нее тупые. Я, например, с этой девушкой соглашусь. По-любому ведь та вечеринка лучше запомнится, где не догнался. А если хватило, то вспоминать уже не о чем, тогда все как обычно. И башка наутро трещит. Так что верная философия. Саня, друган, ты скажи — философ-то как, симпатичный? Ты там надолго завис?

zombotron

2011-06-19 10:34 am (UTC)

Да, да, кстати, это интересный вопрос. По поводу философа.

foolhunter

June 19th, 14:27

СЕКС-БОТ

Сори, предыдущий пост не закончил. Спать уже сильно хотел. К тому же решили теперь не всё сразу доделывать. А философ — да, симпатичный. Ну, или нет. Я не знаю. Дело не в этом.

Короче, я спускаюсь в метро — она там стоит посреди зала с этим скейтом в руках и мне показывает большой палец. Я говорю — а чего не уехала? Я думал, ты меня кинуть решила. Она смеется — всегда мечтала о сексуальном ботане. Редкая комбинация. Я говорю — ну спасибо, только мне из-за тебя, по ходу, зуб выбили. Ты предупреждай в следующий раз, когда что-нибудь такое замутишь. А то рванула на своем скейте. Я-то не могу так быстро бежать. Они меня за пару секунд догнали.

Она опускает скейт на пол, встает на него и тянет меня за футболку. Я наклоняюсь к ней, и мы так целую минуту, наверное, стоим. Тут еще поезд пришел, нас пару раз толкнули. А у меня рот весь разбит. Целоваться немного больно. Она отстраняется, смотрит на меня и говорит — ты чего? Я говорю — у тебя кровь на губах. Ты вампирка. Она опять смеется и тянет меня в вагон. Я говорю — а скейт? Она только рукой махнула — забей на него, надоел.

На следующей станции вошел улыбчивый жиртрест килограмм на сто двадцать. В руках соневская приставка PSP. Видимо, хотел поиграть, но потом нас увидел. Смотрит на пятна крови у меня на футболке, на мою разбитую рожу, потом на Амиру, потом опять на меня. И уже перестал улыбаться. Интересно ему — чего такое случилось. А эта царевна Будур показывает на его живот и говорит — кого ждете, мальчика или девочку?

(5 comments — Leave a comment)

krasnoperetz

2011-06-19 18:36 pm (UTC)

Сексуальный ботан — зачет. Саня, ты бы показал уже эту свою Амиру. По ходу прикольная. Давайте, короче, подваливайте. Замутим тут. И пожрать с собой чего-нибудь прихвати. А то Танька свалила, а у меня денег на еду нет. Стремно.

zombotron

2011-06-19 21:48 pm (UTC)

Да, девушка явно неординарная. У меня однажды была такая студентка. Сплошная непредсказуемость. Очаровательна, кто бы спорил, но в итоге пришлось вызывать «Скорую» из психушки. Зашла как-то раз в деканат и улеглась на пол прямо посреди кабинета.

krasnoperetz

2011-06-19 22:15 pm (UTC)

А чего хотела-то?

zombotron

2011-06-19 22:33 pm (UTC)

Счастья, наверное. Чего еще хотят девушки?

masya212
2011-06-19 23:12 pm (UTC)
Ну и козлы же вы.
foolhunter
June 20th, 11:48
МЫ НЕ КОЗЛЫ — КОЗЛЫ НЕ МЫ

Красный, зарядку для телефона я так и не нашел, поэтому пишу тебе прямо сюда. Нужна твоя помощь. Забери нас на своем драндулете завтра в десять утра с Речного вокзала. Будем ждать у входа в метро. Заодно покормим тебя. У меня на карточке еще денег немного осталось. Только не опаздывай. Нам потом надо точно по времени передвигаться. Амира придумала какую-то мощную тему. Говорит — на всю жизнь такое запомнишь. Но для этого машина нужна. Что-то надо будет за город отвезти. Она пока не объясняет. Говорит — лучше сюрпризом. А мои варианты опять прокинула. Говорит — борода все эти твои недоигранные стрелялки. Борода и палево. «Контра» у нее, короче, не рулит. Хотя я тут честно пытался ей объяснить, что в «Контру» в принципе доиграть невозможно. Незавершаемый проект. Четкая мотивация. Она только смеется. Говорит — детство прошло. Скоро с настоящим оружием бегать будешь.

А сегодня ночью разбудила меня, говорит — на что бы ты согласился, чтобы вообще в армию не ходить? Я говорю — я бы согласился поспать еще немного. Она говорит — задолбал. Я говорю — я задолбал? Она говорит — нет, ну серьезно. Руку бы согласился сломать? Я говорю — не знаю. Она говорит — а ногу? Я говорю — ногу точно не дам. Она толстая, ломать больно будет. И еще я на ней хожу. Эта принцесса закурила и говорит — а жениться? Я говорю — жениться нормально. Если невеста красивая, то вообще тема. Только отсрочку все равно не дадут. Нужны дети. А дети так быстро появиться не могут. Им времени много надо, чтобы перебраться оттуда сюда. Она смотрит на меня и говорит — откуда? Я пожимаю плечами — ну, оттуда. Где они там тусуются, до того как, ну в общем, ты поняла. Она говорит — я не знаю. И в темноте у нее лицо от сигареты так прикольно время от времени освещается. Я говорю — ты прямо как из игры «Дьябло 2». Там на тебя босс один есть похожий в конце первого акта. Андариэль, Дева Страданий. Только у нее волосы красные. Ядом шарашит по полной программе. Я когда по первому кругу игру проходил, она меня раз десять, наверное, положила. Ядовитое облако у нее очень сильное. Перед боем надо городской портал открывать. Тогда, если что, можно слинять в любую минуту. А без портала — труба. Она сигарету потушила, и я слышу в темноте смеется негромко — красные волосы? Я говорю — ну да. И когти такие за спиной вместо крыльев. Она по ходу падший ангел. Амира моя говорит — надо и мне перекраситься. Я говорю — зачем? Она говорит — буду Дева Страданий. А потом спрашивает — может, тебе на девушке с ребенком тогда сразу жениться? Или лучше с двумя? Я говорю — с двумя крутовато, наверное, будет. Она говорит — а с одним только отсрочку ненадолго дадут. С двумя надежней. Ну а если с одним, то надо какого-нибудь больного. Я говорю — какого больного? Она отворачивается от меня и с головой одеялом накрывается. Убогого какого-нибудь — говорит. Я говорю — на фига мне убогий?

(5 comments — Leave a comment)

krasnoperetz

2011-06-20 16:28 pm (UTC)

Эта Андариэль, тварь, сидит на четвертом уровне Катакомб. Я от нее вокруг озера часа два, наверно, бегал. Реально выбешивает со своим ядом. А насчет «Контры» соглашусь я с твоей Амирой. Для последних задротов игра. На Речной приеду в половине десятого. Чтоб ты не бухтел, будто я вечно опаздываю. С тебя биг тейсти, картошка и большая кола. Сам не проспи, я реально голодный.

masya212

2011-06-20 19:59 pm (UTC)

Спорим, что эта гастарбайтерша задумала Баюшкина женить на себе. Ей наверняка прописка нужна. А он просто тупит как всегда.

krasnoperetz

2011-06-20 20:08 pm (UTC)

Машка, а вот я не пойму — ну если и так? Тебе-то теперь какое дело? Тебя каким боком эта Амира парит?

masya212

2011-06-20 20:12 pm (UTC)

Да пошел ты.

krasnoperetz

2011-06-20 20:24 pm (UTC)

Я же еще и пошел. Нормально. Саня, ты не слушай ее. Никто тебя женить не собирается. Не отдадим.

foolhunter

June 21st, 23:11

ЖЕСТЬ

Короче, съездили мы с Амирой и Красным в это место. Чего-то муторно мне. Не могу пока ничего об этом писать. Может, завтра. Ночуем у нас. Я к Амире не смог поехать, а она сейчас тоже не хочет одна оставаться. Красного пока выселили на кухню. Он не спорил.

(0 comments — Leave a comment)

foolhunter

June 22nd, 12:05

МИТЯ

В общем, вчера было так. Сели в машину Красного почти вовремя и поехали в Химки. Амира сидела на переднем сиденье. Красный не разрешил ей садиться назад, потому что у него там бардак и он, типа, застеснялся. Как будто она не оборачивалась потом всю дорогу. Не на меня, конечно, а на того, за кем мы заехали в Химки. Хотя смысла особого головой вертеть, если честно, у нее не было. Пацан даже ни разу на нее не взглянул. Я подумал — он расстроился, что мы его от бабушки увезли. Я бы лично расстроился. Хотя и так было фигово. Ну, не фигово, но както так. Стремновато, короче. Я же не знал, что у нее такой вот пацан в Химках живет. А тут еще Красный. Так и ехали в сторону области — никто ни на кого не смотрит, и все молчат. Одна Амира без конца оборачивается. В итоге мне стало совсем не в кайф так сидеть, и я говорю — а парню лет сколько? Она отвечает — пять. Потом говорит — пять с половиной. Помолчали еще немного, и я его спрашиваю — тебя как зовут? Амира опять оборачивается — Митя. Я говорю — а почему он сам-то не отвечает? И даже не смотрит на меня. Она говорит — скорее всего, он тебя даже не слышит. Красный говорит — это как? Он глухой, что ли? Я ему говорю — на дорогу смотри. Амира говорит — нет, не глухой. Он аутист. Красный говорит — ау-кто? Она повторяет ему — аутист. Я и сама до конца не понимаю, что с ним. Иногда мне просто кажется, что он сюда не весь перебрался. Красный говорит — в смысле? Я повторяю — на дорогу смотри. Амира говорит — какая-то часть его там осталась. Не целиком сюда прислали. Лодочка оказалась полупустой. Красный говорит — не понял. Амира пожимает плечами — просто он с другими детьми еще там тусуется. Где они ждут, чтобы их сюда отправили. Только ему там больше нечего ждать. Его лодочка уже уплыла. Она здесь. Вот она. Красный говорит — какая лодка? Какая часть? Ребята, что за пурга? Не понимаю, вообще, что за тема. Я ему в третий раз говорю — на дорогу смотри, пожалуйста. А то мы все там окажемся, где Митина часть тусуется. Только уже целиком. Красный башкой вертит — не, я реально не пойму, что за прогоны. Я ему говорю — все нормально, дружище. Неясно вот только, куда мы едем.

(1 comment — Leave a comment)

zombotron
2011-06-22 01:12 pm (UTC)

Ну, хорошо. А чем все закончилось? Или мне одному кажется, что история рассказана не до конца? Продолжение будет?

foolhunter
June 22nd, 16:21
НЕЖДАНЧИК

Сори, Андрей Рудольфович, меня тут немного прервали. Из военкомата нагрянули. Я, оказывается, контрольную явку пропустил. Совсем из головы вылетело. Хорошо хоть успел постричься. Они на мою лысую репу посмотрели и поверили, что я просто забыл. Правда, Амира и тут успела накосорезить. Вышла к ним в коридор в одной моей рубахе и сказала, что мы с Красным семья геев, поэтому нас в армию поодиночке забирать нельзя. Либо никого, либо обоих. Военные прифигели слегка, но я успел извиниться. Сказал им, что у нее сын аутист и что она очень переживает. Короче, простили на первый раз. Перенесли явку на следующую неделю. Если еще раз не появлюсь — приедут с милицией. В общем, с армией все понятно. Непонятно с Амирой.

Мы вчера долго по каким-то полям кружили, пока не нашли это место, куда она Митю своего решила пристроить. Я ей говорю — ты уверена, что хочешь без него жить. У меня, например, если был бы такой пацан, я бы его, наверное, не отдал. Мне бы и самому такой пригодился. Мало ли что говорить не хочет. Зато как молчит. Красота. Она засмеялась и говорит — дурак ты. Тут ему будет лучше. И вытаскивает его за руку из машины. А я чувствую, что он за меня уцепился, и говорю — может, оставишь? Я из армии приду, тоже молчать научусь. Будем с ним на пару тихушничать. Я уже и сейчас могу долго молчать. Она повторяет — ты точно дурак. В общем, увела куда-то за железные ворота этого Митю. Он из-за решетки успел один раз обернуться.

А мы потом с Красным сидели как два аутиста в его тарантайке, и я все думал про эти дела. Про то, что Амира, видимо, не просто так мне эту тему с незавершенностью прогоняет. Что, наверное, она думает — Бог чего-то недоглядел, и Митя вот такой наполовину у нее получился. И она теперь бесится, думает, что раз Богу можно, то и она имеет право кое-что не доделать, то есть вот родила, а воспитывать реально не хочет. И я так сидел, на эти железные ворота смотрел, а потом вдруг подумал — да пошло оно всё. Не хочу я никакой недосказанности, никаких мотиваций, никаких непоняток. Хочу, чтобы все было ясно, закончено и предельно просто. Потому что не надо этого ничего.

(1 comment — Leave a comment)

andariel-tvar
2011-10-07 12:21 pm (UTC)

Саша, привет, это Амира. Не знаю, есть ли у тебя там доступ к Интернету. Пишу просто на всякий случай. Митю я забрала. Спасибо.

АЗИАТ И ПОЛИНА

Летом 1926 года потомок древнего, но крайне обедневшего самурайского рода Миянага Хиротаро завершил курс обучения в университете города Киото и, как лучший студент, получил предложение продолжить свое образование в Европе. Чрезвычайно польщенный этим господин Ивая, который владел в Нагасаки табачной фабрикой и оплачивал его учебу, немедленно дал согласие на дальнейшее финансирование, и Хиротаро отправился во Францию, где был зачислен на кафедру фармацевтики Парижского университета.

Великий город удивил его керосиновыми лампами в окнах домов на Елисейских Полях, поцелуями и тем, что все европейцы оказались на одно лицо. К последнему сюрпризу он еще в какой-то мере был подготовлен, потому что видел в порту своего родного Нагасаки одинаковых как однояйцовые близнецы американских и русских моряков, но вот открыто целующиеся парижане продолжали шокировать его, наверное, целый год.

Поначалу, если это неожиданно случалось где-нибудь в кафе, он вскакивал из-за стола и от стыда выбегал на улицу. У себя в Японии Хиротаро за всю свою жизнь ни разу не видел, как целуются даже его родители, потому что это ни в коем случае не могло происходить при свидетелях. Но здесь все было по-другому. Распущенные европейцы предавались самым укромным ласкам прямо на глазах у чужих людей. Несколько раз по этой причине ему пришлось остаться голодным и расплачиваться за нетронутый завтрак на улице, где его догонял встревоженный официант.

Поняв, что ему не удастся переубедить ни официантов, ни всех этих целующихся парижан, Хиротаро решил принять неизбежное. Для постепенного привыкания к шокирующему поведению европейцев он обратился к скульптуре. Мраморный поцелуй смущал его не так сильно, как публичные ласки живых людей.

Лучше всего для этой цели подходил, конечно, Роден, но, ознакомившись по фотографиям с его творчеством, Хиротаро все же не нашел в себе сил воочию увидеть эти немыслимые по японским меркам скульптуры. Фонтан Медичи в Люксембургском саду — вот, пожалуй, был компромисс, на который он мог в этом смысле пойти для начала. Юноша из белого мрамора лишь *собирался* поцеловать лежащую у него на коленях девушку.

Впрочем, первые два-три раза Хиротаро было нелегко смотреть даже на эти *приготовления*. В присутствии других людей он стеснялся открыто взглянуть на застывшую обнаженную пару, и причиной этого стеснения была отнюдь не нагота. Будь его воля, он с удовольствием прикрыл бы какой-нибудь мраморной вуалью эти склоненные к поцелую головы, оставив для всеобщего обозрения прекрасные молодые тела.

Именно у фонтана Медичи он впервые встретил Полину. Отвернувшись от изваяния, Хиротаро украдкой наблюдал за другими людьми, стоявшими по обе стороны узкого водоема. Ему хотелось научиться у них той небрежности, с которой они скользили взглядами по волновавшей его скульптуре. Своей безучастностью эти люди напоминали ему орхидеи из храма Кофукудзи в Нагасаки, и он пытался незаметно воспроизвести на своем лице равнодушное выражение их лиц, надеясь, что это приведет и к внутреннему сходству реакций. Посматривая время от времени на фонтан, Хиротаро старался делать это с лицом типичного парижанина, и в какой-то момент ему показалось, что у него все получилось — как в детстве, когда он сначала не мог есть осьминогов и даже боялся в руки их брать, но потом постепенно привык, а к десяти примерно годам уже уплетал их за обе щеки. Важно было себя приучить, и Хиротаро показалось, что да, что вот он себя приучил и что *это*, то есть намечающийся поцелуй, даже начинает ему смутно нравиться. Главное — не спешить. Главное — понемножку.

Как раз в этот момент он вдруг заметил наблюдавшую за ним девушку. Она стояла прямо напротив него, опираясь на чугун решетки и отражаясь вверх ногами в свободном от опавших листьев участке темной воды. Хиротаро мог поклясться, что за секунду до этого ни девушки, ни просвета на поверхности водоема не было — листья покрывали узкую полоску воды таким неподвижным и таким плотным слоем, что она казалась продолжением садовой дорожки и что по ней можно спокойно ходить. Однако теперь этот цветастый покров чудесным образом расступился, и за гримасами Хиротаро с нескрываемым удивлением наблюдали сразу две девушки — одна из-за чугунной решетки, другая с поверхности гладкой как зеркало темной воды. Почти соприкасаясь ногами, они были похожи на сросшиеся ветки цветущий сакуры. Девушка куталась от налетевшего ветра в легкую розовую шаль.

«Почему вы кривляетесь? — сказала она, подходя к нему. — У вас тик?»

«Я не кривляюсь», — ответил он по-французски, но с ужасным акцентом.

«Да? А это вот что?»

Она передразнила его гримасы.

«Вам так скульптура не нравится, странный вы азиат?»

Хиротаро окончательно смутился и не знал, что отвечать. Его старания явно пошли прахом. Ему не удалось выглядеть безучастным, как все остальные посетители Люксембургского сада.

Не говоря уж об орхидеях из храма Кофукудзи.

В первое мгновение он захотел солгать, что все дело в ярком осеннем солнце и в белизне мрамора и что от этого у него заслезились глаза, но его французского языка для такой непростой лжи было пока недостаточно. Девушка усмехнулась, прищурила зеленые с темными крапинками глаза и пошла к выходу из сада в сторону бульвара Сен-Мишель. Момент был упущен. Хиротаро проводил ее взглядом до высоких чугунных ворот, а потом рассеянно посмотрел на скульптуру, которая почему-то его больше не волновала.

Гораздо позже, когда они были уже на «ты» и когда он уже совсем не понимал, каким образом столько лет прожил без нее, Хиротаро объяснил ей, что поцелуй на людях для японца — это все равно что запустить руку женщине между ног где-нибудь в людном месте.

«Например, на скамейке посреди бульвара Сен-Жермен?» — спросила она, меняясь в лице от удивления.

«Хотя бы, — ответил он. — Представь себе».

Она представила и поежилась. Но потом рассмеялась.

«Трудно тебе в Европе».

«Да, нелегко».

Но это было гораздо позже. А в тот день Хиротаро вернулся из Люксембургского сада к себе в квартирку на улице Кампань-Премьер в полном смятении. Провалявшись до вечера на узком диванчике, он даже не притронулся к черновикам своего каталога лекарственных растений Центральной и Южной Франции.

«Значит, так надо», — вертелось у него в голове.

* * *

Эту фразу он когда-то услышал от одного человека, который помог ему избежать больших неприятностей, и с годами эта формула стоического согласия абсолютно со всем, что приносила ему жизнь, незаметно стала для Хиротаро и девизом, и защитой, и непреходящим в своей свежести откровением.

Тогда, в детстве, ему повезло, что господин Китамура Сэйбо собирал глину для своих скульптур именно рядом с табачной плантацией. Масахиро, хромой от рождения сын господина Ивая, никак не мог простить нищему, но очень способному мальчишке внимание и даже любовь своего отца и потому пакостил Хиротаро при первом удобном случае. В тот раз он затоптал всю посаженную отцовским учеником рассаду, и, если бы не свидетельство господина Китамура, крестьяне наказали бы Хиротаро намного сильней.

Вскоре он научился ускользать от своего мучителя и подолгу прятался от него в саду храма Кофукудзи. Там он рассматривал белые орхидеи, похожие на летящих птиц, мечтал о чем-то туманном или просто дремал, пока однажды его не окликнул какой-то господин. Хиротаро узнал в нем того самого скульптора, который спас его на табачной плантации от незаслуженного наказания.

«Значит, так надо», — сказал он, выслушав рассказ мальчика о новой обиде, и Хиротаро с ним согласился.

У господина Китамура в храме была своя мастерская. Монахи пригласили его на месяц, чтобы он изготовил сто деревянных кукол, предназначенных для праздника богини Каннон. Они собирались раздать их детям.

Перепачкавшись в краске, Хиротаро в тот вечер по просьбе скульптора выкрасил две безрукие куклы кокэси, а на следующий день господин Китамура зашел в табачный магазин, где работал отец мальчика.

«Вот, принес вам статуэтку, — сказал он слегка удивленному продавцу. — Называется «Плачущий мальчик на грядке с табаком». Возьмите, пожалуйста. У меня все равно ее никто не купил».

Когда выяснилось, что в бронзовой фигурке запечатлен Хиротаро, его отец попросил скульптора последить за магазином, а сам побежал на фабрику. Господину Китамура в его отсутствие пришлось продать заглянувшему покупателю две пачки сигарет, но вскоре тесный магазинчик наполнился шумной толпой. Пришел даже Санзоу Цуда, который был известен тем, что напал в городке Оцу на русского престолонаследника, когда тот путешествовал по Японии. Цуда хотел убедиться, что его слабоумный братец не врет и что в районе морского порта он теперь уже не будет единственной знаменитостью.

Сначала все долго спорили — похожа ли статуэтка на Хиротаро, а потом решили просто найти его и сравнить. Мальчишек обнаружили на складе, где они о чем-то шушукались позади рулонов с папиросной бумагой. Перед Масахиро извинились и отправили его домой, а Хиротаро повели в магазин. Там его заставили сесть на пол и долго осматривали со всех сторон, сравнивая с произведением господина Китамура. Скульптор улыбался, по-прежнему стоя за прилавком, но не произносил ни слова.

Он вмешался лишь в тот момент, когда кто-то предложил треснуть Хиротаро по затылку, чтобы тот заплакал, и тогда уже точно можно было определить — имеется ли у статуэтки сходство с оригиналом.

«Оставьте его в покое, — сказал он. — А то унесу ее обратно».

Бронзовую фигурку немедленно водрузили на полку рядом с коробкой самых дорогих сигарет, а потом еще долго наслаждались ее созерцанием. Один только мрачный Санзоу Цуда буркнул, что все это ерунда, и вернулся на фабрику.

Через день Хиротаро снова повстречал скульптора в храме Кофукудзи.

«Хочешь, покажу тебе кое-что интересное?» — предложил тот.

Целый час они бродили вокруг центрального здания храма, и господин Китамура вдохновенно рассказывал о появлении театральных масок и реалистических изображений животных в период Муромати, сменивший период Камакура.

«Видишь, какая глубокая резьба, — говорил он, проводя рукой по каменным барельефам. — До этого так глубоко не резали. Считалось, что все должно быть плоским. Только плоское тогда было красивым. Как китайское лицо. И лишь в пятнадцатом веке возник объем».

Хиротаро переходил вслед за скульптором от одного барельефа к другому, всматривался в них, кивал, но думал о том, что в отличие от всех этих каменных изображений, цветы и травы в саду были объемными даже до периода Муромати.

Впрочем, ему нравилось слушать господина Китамура. Очень скоро он стал постоянным гостем в его мастерской. Примитивные куклы кокэси уже через неделю после начала работы наскучили скульптору, и тот стал отлынивать от резьбы. Зато Хиротаро увидел, как ловко он лепит. За пару часов между завтраком и обедом господин Китамура мог запросто вылепить из глины несколько кошек, двух-трех быков или одного дракона. Животные получались совсем небольшие, но Хиротаро был счастлив. Наблюдая за руками скульптора, он терял ощущение времени, а когда оно возвращалось, на столе перед ним уже сидела глиняная кошка.

Все было бы хорошо, но монахи ждали к празднику богини Каннон сотню кукол, поэтому в конце концов Хиротаро пришлось взяться за работу, иначе господин Китамура забросил бы своих зверей. Показав новому ученику, каким образом надо обтачивать цилиндр для туловища, скульптор продолжал насвистывать и лепить из глины быков и овец. А когда наступил праздник, все остались довольны — и монахи, и дети, и господин Китамура. Но больше всех счастлив был Хиротаро. Дома у него скопился настоящий зверинец.

Дождавшись, когда он покрепче привяжется к своим глиняным трофеям, Масахиро побросал их в реку с моста Мэганэ-баси. Ему ужасно нравилось печальное лицо Хиротаро, с которым тот следил за исчезавшими под мостом статуэтками. Швыряя ненавистных зверьков из глины в темную воду, Масахиро старался попадать ими в отражение Хиротаро, и всякий раз, когда ему это удавалось, и дрожавшая на речной поверхности горестная фигура разлеталась во все стороны фонтаном веселых брызг, он заливался по-детски счастливым смехом.

«Значит, так надо», — думал Хиротаро, вспоминая слова скульптора, но легче на сердце у него от этого не становилось.

* * *

На Монпарнасе он поселился из-за невысоких цен. По соседству обитали перепачканные красками и вечно злые художники, но до поры до времени Хиротаро не обращал на них никакого внимания. Он был искренне благодарен господину Ивая и собирался тратить его деньги строго по назначению. Воспоминания о господине Китамура и об искусстве ваяния уже не тревожили его сердце.

К тому же неподалеку от дома номер 32, в котором он снял крохотную квартиру, оказался весьма симпатичный рынок. Из Бретани сюда каждый день везли свежую рыбу, так что, купив немного риса, Хиротаро мог время от времени приготовить себе самый настоящий японский обед. А через месяц после приезда он уже с удовольствием покупал и французский сыр, и вино, и хотя бы в этом отношении чувствовал себя европейцем.

Впрочем, иногда он скучал по Нагасаки. В такие минуты Хиротаро отправлялся к реке и смотрел на мосты, сравнивая их с родным, почти полукруглым Мэганэ-баси. Отдаленное сходство было, пожалуй, только у Пон-Нёф, если смотреть на него со стороны Лувра. Однако этот мост почему-то не отражался в воде, и пролетов у него насчитывалось не два, а гораздо больше.

Ёжась от ветра на дощатом настиле не очень симпатичного ему из-за своих металлических конструкций моста Пон-дез-Ар, Хиротаро пытался мысленно добавить мосту Пон-Нёф очаровательную горбинку Мэганэ-баси, убрать лишние пролеты и дорисовать полукруглые отражения на воде, но все же знакомые с детства «очки» у него никак не получались.

Зато однажды он оказался вознагражден за свои усилия совершенно иным образом. Закрывая ладонью перспективу осточертевшей ему правой половины Пон-Нёф, он старался сосредоточиться на той части моста, которая соединяет северный берег и остров Сите. Хиротаро не обращал ни малейшего внимания на крохотных пешеходов, но вдруг отчетливо увидел розовое пятно. Сердце его дрогнуло, он опустил правую руку и вгляделся в девушку, шагавшую по мосту. С такого расстояния невозможно было судить наверняка, но что-то говорило ему, что он не ошибся. Топая как сумасшедший, он бросился в сторону южного берега, перепугал целую группу детей с двумя или тремя гувернантками и выскочил на набережную Конти. Розовое пятно удалялось от него в сторону бульвара Сен-Мишель.

Добежав до перекрестка, он в нерешительности остановился. Незнакомка могла и не свернуть на бульвар, а двинуться дальше по набережной или исчезнуть в одном из переулков Латинского квартала. Прислушиваясь к своему бьющемуся сердцу и прерывистому дыханию, Хиротаро неожиданно спросил себя — зачем он бежит. Неужели эта чудесная девушка захочет говорить с ним? Слушать его ужасный французский язык? Смотреть на его узкоглазую физиономию?

В конце концов, он даже не был уверен, что это та самая девушка.

Постояв еще полминуты и отругав себя за несдержанное поведение, Хиротаро направился по бульвару домой. Едва он миновал Сорбоннскую площадь, далеко впереди снова мелькнуло розовое пятно.

Секунду или две он еще боролся с искушением, но потом сдался и прибавил шаг. Он подумал, что она опять направляется к фонтану Медичи, и обрадовался этому, потому что последние полтора месяца каждый вечер сочинял и заучивал остроумные французские фразы, которые хотел сказать ей именно там, у фонтана, где он так опростоволосился перед ней, и тогда она перестанет, наверное, считать его тупым, необразованным азиатом. Все, что теперь требовалось от него, — лишь догнать ее и выбрать из всех придуманных фраз самую лучшую.

Но она не вошла в Люксембургский сад. Мелькнув еще несколько раз впереди своей розовой шалью, она растворилась в вечернем парижском воздухе, а Хиротаро, покружив немного около фонтана Обсерватории, с тяжелым сердцем направился к себе на улицу Кампань-Премьер, до которой уже оставалось буквально два шага.

Однако наваждение с розовой шалью на этом не кончилось. Хиротаро еще два раза видел ее издали на бульваре Распай и один раз прямо из окна своей квартиры. Эта девушка кружила по Монпарнасу, как будто тоже искала его, как будто знала, что он живет где-то здесь. Впрочем, вскоре выяснилось, что дело было вовсе не в нем.

Снова заметив ее как-то вечером, задумчиво бредущую вдоль стены кладбища, он решил больше не упускать ее и медленно шел за ней целый квартал, не решаясь окликнуть.

В гулком полутемном подъезде, куда она вошла, так и не заметив шагавшего за ней Хиротаро, сидел пожилой толстый консьерж. Он с удивлением посмотрел на смущенного японца и спросил — оплачено ли у него хотя бы за неделю вперед. Хиротаро ответил, что нет, и консьерж указал ему на выход. Мимо со смехом поднимались по лестнице какие-то молодые люди. Один из них вдруг остановился и схватил Хиротаро за рукав.

«Смотрите, это же Хокусай! — закричал он. — К нам пожаловал сам Хокусай! Падите ниц, бездарные европейцы!»

Все остальные засмеялись еще громче, дерзкий юноша начал отбивать перед Хиротаро шутовские поклоны, а тот, вежливо улыбаясь, освободил свой рукав и вышел из полуосвещенного подъезда на улицу.

На следующий день он выяснил, что в этом доме находится художественная академия Коларосси. Любой, кто хотел, мог заплатить здесь определенную сумму и посещать уроки известных мастеров. По вечерам занятия проводил скульптор Аристид Майоль. Учебный зал едва вмещал всех желающих.

Решив, что девушка в розовой шали занимается именно у него, Хиротаро поторопился оплатить уроки за месяц вперед. Сэкономить он решил на еде. В отчете господину Ивая, который он аккуратно отправлял в Нагасаки в конце каждого месяца, об этой новой статье расходов Хиротаро не сообщил.

Ни в первый, ни во второй, ни даже в третий вечер девушка на занятиях не появилась. Студенты косились на странного азиата, который без всякого дела просто сидел в углу и, казалось, даже не слушал мастера. Он бесстрастно смотрел в одну точку прямо перед собой, как будто не хотел видеть расставленные по всему залу скульптурные этюды, а когда в перерывах к нему подходил тот юноша из подъезда и со смехом называл его то Хокусаем, то Буддой, он вежливо улыбался, показывая, что ценит его остроумие, а потом опять замирал в неподвижной позе, сам становясь похожим на чей-то уже совершенно законченный этюд.

В четвертый вечер девушка, которую он ждал, наконец появилась. Она принесла с собой статуэтку, и у Хиротаро, чей взгляд впервые за эти дни сдвинулся с места, перехватило дыхание. Вылепленная незнакомкой фигура была разительно похожа на ту, что господин Китамура когда-то принес его отцу в табачный магазин. Это было точно такое же скульптурное изображение сидящего на корточках мальчика.

«Как называется?» — нахмурился Майоль.

«Внук адмирала», — ответила девушка.

«Лучше бы он стоял... И почему он у вас ревет? Его кто-то обидел?»

Скульптор вертел статуэтку, думая уже о чем-то своем.

«Он плачет от страха».

Хиротаро отчетливо услышал, как у девушки задрожал голос.

«Он испугался».

«Лучше бы вы показали нам то, из-за чего он так испугался. Ваяние — самая репрезентативная форма искусства. В нем нет места тайнам и отражениям».

«Хотите увидеть?» — голос ее неожиданно стал твердым, и в нем отчетливо послышался вызов.

«Хотелось бы».

«Тогда смотрите».

Она быстро прошла к центру аудитории, схватила со стола длинную деревянную указку, вытянула вперед левую руку и что было сил ударила указкой по этой руке.

Все буквально окаменели от неожиданности, а девушка продолжала бить себя до тех пор, пока к ней не подбежали помощники Майоля и не вытолкали ее в коридор. Вернувшись через несколько секунд, они извинились перед мастером, а тот, что держал отнятую у девушки злополучную указку, с почтением положил ее обратно на стол рядом с хмурым Майолем. В следующее мгновение Хиротаро поднялся со своего места, подошел к пожилому скульптору, взял у него из рук статуэтку и, не спрашивая разрешения, быстро вышел из зала.

Девушку он нашел на скамейке рядом с художественной академией. Она курила сигарету, вставленную в длинный мундштук, задумчиво прикусывала верхнюю губу и смотрела на голубей, которые яростно ворковали и наскакивали друг на друга с известными намерениями прямо у ее ног.

«Вам нужно поменять сигареты, — сказал Хиротаро, протягивая ей глиняную фигурку. — Этот табак не годится».

«Что?»

Она подняла голову и прищурилась, разглядывая неизвестно откуда возникшего перед ней азиата.

«Плохое качество», — сказал он.

Девушка пожала плечами и перевела взгляд на фигурку.

«Да, да, очень плохое, — задумчиво протянула она. — Можете оставить этого уродца себе».

Хиротаро тоже посмотрел на статуэтку и на мгновение как будто снова вдруг оказался в табачном магазинчике в Нагасаки. Только скульптором, вылепившим заплаканного мальчика, был теперь не господин Китамура, а незнакомая грустная девушка, которая курила плохие сигареты и очень нравилась Хиротаро.

«Кто этот мальчик?» — спросил он после минутного молчания.

Девушка слегка нахмурилась, но все же ответила:

«Мой брат... Только не надо мне ничего говорить про Майоля. Я и без вас знаю, что он прав. Он великий скульптор. Я совсем не злюсь на него. Я вообще ни на кого не злюсь. На людей нельзя злиться. Все люди сделаны из чистого золота. Да, да, не спорьте, пожалуйста, — из чистого золота».

Она замолчала, и Хиротаро показалось, что вот сейчас она наконец заплачет. Он растерянно оглянулся, как будто надеялся на чью-то помощь, но улица в этот вечерний час была совершенно пустынна. Лишь на углу бульвара Монпарнас какой-то любитель абсента некрепко держался за фонарный столб.

«А я вас узнала, — неожиданно спокойным голосом сказала она. — Вы — тот китаец из Люксембургского сада. Который гримасничал».

Она скорчила совершенно нелепую рожу, и несколько секунд они молча смотрели друг на друга. Затем от перекрестка до них долетел звук упавшего тела, Хиротаро перевел растерянный взгляд на валявшегося теперь у столба пьяницу, снова посмотрел на девушку, которая продолжала гримасничать, а потом, не удержавшись, все-таки рассмеялся.

* * *

До определенного возраста Хиротаро был уверен в безопасности, незыблемости, а главное — бесконечности своего существования. Более того, он был абсолютно уверен в незыблемости существования всего окружавшего его тогда мира. Если мост Мэганэ-баси стоял над рекой Накадзима до его рождения, то это смутно значило, что он стоял и, видимо, будет стоять там всегда. То же самое касалось родителей, друзей, табачных грядок и, вообще, всего города Нагасаки. Со временем он понял, что это не так. Много позже майор Чарльз Суини на своей «летающей крепости» В-29 подтвердил его печальную догадку.

Впрочем, даже если бы утром 9 августа 1945 года над городом Кокура не стояла густая облачная завеса, и майор Суини, согласно первоначальному плану, сбросил бы своего «Толстяка» там, а не в Нагасаки, это все равно не уберегло бы Хиротаро от понимания бренности и ненадежности мира. С главным разочарованием своей жизни он смирился задолго до того, как бомбардировщик «Bock's Car» под командованием 25-летнего майора оторвался от взлетной полосы на тихоокеанском острове Тиниан и взял курс на затянутый облаками город Кокура.

В общем, когда Хиротаро осознал, что жизнь далеко не бесконечна и что мост Мэганэ-баси мог вовсе не появиться над рекой Накадзима, он перестал беспокоиться по поводу всего остального. Это эмоциональное потрясение, постигшее его еще в детстве, научило его сдержанности и умению сохранять чувство собственного достоинства в любой ситуации.

«Значит, так надо», — повторял он, когда происходило что-нибудь неожиданное, неприятное или даже опасное для него самого.

Поэтому его удивляли открытые проявления чувств, которые постоянно позволяли себе европейцы. Он привязался к Полине всей своей японской душой, но долго не мог привыкнуть к тому, что она была способна заплакать по самому пустячному поводу, а после этого тут же рассмеяться. Рядом с ней он чувствовал себя как на вулкане, и это чувство не только удивляло, но и беспокоило его. По мнению Хиротаро, Полина вела себя так, как будто ей практически каждый день сбрасывают на голову бомбу, начиненную плутонием-239. За тем исключением, что такой бомбы в то время пока даже не существовало.

Но зато Полина уже была.

«Они отняли у меня скакалку и стали бить ею меня по руке, — волновалась она, рассказывая о причинах, заставивших ее вылепить своего младшего брата в слезах. — А что я такого сделала? Просто сказала, что все французы дураки и что я не позволю говорить при мне плохо о моем папе».

Полина была очень, очень эмоциональна.

«А маленький Клод сидел рядом на корточках и все видел. Поэтому испугался и начал плакать. А я его вылепила. Вот таким».

Она была как цунами. За тем исключением, что Хиротаро цунами пока еще ни разу не видел. С него было достаточно одной Полины.

Когда она узнала, что его двоюродный дядя напал в Японии на русского цесаревича, она едва не лишилась чувств. Полина сама была наполовину русская, но суть заключалась даже не в этом. Оказалось, что ее отец служил мичманом на том самом фрегате «Путь Азова», который доставил тогда наследника в Нагасаки и потом в городок Оцу.

Хиротаро и сам был удивлен этим совпадением, но то, что произошло с Полиной, удивлением назвать было нельзя. Казалось, даже ваяние и все, что связано с искусством, стало вдруг волновать ее в меньшей степени, чем это нелепое стечение обстоятельств.

«А ты знаешь, кто еще был с ними на том корабле? Ты таблицу Менделеева на своих аптекарских курсах учил? Периодические элементы. Или как они там? Химия! Учил или нет?»

Совершенно сбитый с толку Хиротаро кивал, и она продолжала свое взволнованное горячее повествование:

«Там был сын Менделеева, мичман Владимир. И в твоем Нагасаки у него появилась морская жена. По контракту. Они все так поступали. Тоже мне — офицеры! А потом у них родилась дочь. И ее назвали в честь горы Фудзи. Ты знаешь ее? Внучку Дмитрия Менделеева? Она японка. Ты ее встречал?»

Хиротаро отрицательно качал головой, а Полина уже задумчиво смотрела в другую сторону.

«Представляешь, что было бы, если бы этот твой дядя тогда зарубил Николая? — говорила она, и взгляд ее становился отрешенным. — Где бы мы сейчас были все?»

* * *

Родители Полины познакомились в России в 1904 году. Ее будущая мать, которой тогда только-только исполнилось восемнадцать, приехала туда со своим отцом, известным французским адмиралом. Визит был скорее светский, чем военно-морской, и дочь адмирала закружилась по петербургским балам. На одном из них она увлеклась немногословным, но весьма элегантным офицером российского флота. А через два месяца его корабль вошел в Средиземное море, и она, сломя голову, бросилась к нему через всю Францию на свидание в Марсель. Еще через полгода они обвенчались в Петербурге.

Когда родилась Полина, ее мать захотела вернуться с ребенком во Францию. Мужа месяцами не было дома, и она очень скучала в окружении чужих русских людей. Однако родители ей отказали. По их мнению, Россия была теперь ее новой родиной, и, став женой офицера, она должна была служить этой родине точно так же, как ее отец всю свою жизнь служил Франции.

Их сердца смягчились лишь после начала войны летом 1914 года. Напуганные масштабами европейской катастрофы, они со слезами распахнули перед дочерью и внучкой свои объятья, но отец Полины не позволил увезти дочь во Францию. Несмотря на все уговоры, истерики жены и даже ее нелепую попытку самоубийства, девочка осталась в России.

Три года она воспитывалась постоянно сменявшимися гувернантками, то есть, по сути — никем. Отец приходил из боевых походов смертельно уставший, и ему не было никакого дела до ее кукол, до ее косичек, до ее платьев и до ее одиночества. В эти годы Полина научилась забираться по приставной лесенке на верхние полки в домашней библиотеке и сталкивать оттуда на пол огромные книги по искусству ваяния.

Так незаметно, за книгами, наступил 1917 год, и вскоре отец Полины уже нес службу на одном из кораблей Черноморской эскадры Врангеля. Начиная с десятилетнего возраста, Полина изучала географию по перемещениям того, что осталось от русского императорского флота. Одиннадцать лет ей исполнилось в Севастополе. Тринадцать — в Стамбуле. Четырнадцать — в убогом тунисском порту Безерта.

Африка не нравилась ей, но она привыкла к корабельному быту, и, когда ее безутешная матушка начала засыпать ее отца письмами, требуя вернуть дочь и попеременно называя его то «извергом», то «варваром», Полина сказала, что останется с ним. Во-первых, в свои четырнадцать лет она ненавидела даже саму мысль о предательстве, во-вторых, злилась на мать за то, что та бросила ее в семилетнем возрасте, а в-третьих, ей очень нравился мальчик Коля из военно-морского училища, которое тоже кочевало по морям следом за Черноморской эскадрой.

К 1923 году, когда ей исполнилось шестнадцать, училище перевели из порта куда-то в пустыню, в какие-то горные пещеры, и отъезд во Францию уже не казался ей таким страшным предательством. К тому же в Тунисе не было ни одного приличного скульптора.

Добравшись до городка Сен-Мало на севере Франции, она познакомилась со своим дедушкой, со своим новым папой и с братиком Клодом, родившимся, пока она листала в Петербурге огромные тома по живописи и ваянию. Через год на всех русских кораблях в Безерте спустили Андреевский флаг, и отец Полины перебрался в Париж, где по протекции адмирала устроился инженером на завод «Рено».

Хиротаро узнал всю эту русско-французскую историю почти сразу после знакомства с Полиной. Эта девушка в принципе не знала, что такое секреты. Кое-какие детали ускользали от него, но общая картина ее предыдущей жизни очень быстро стала ему ясна. Мешал, правда, его плохой французский язык, на котором он сбивчиво задавал вопросы, когда чего-то не понимал. В такие минуты Полина, не отдавая себе отчета, переходила на русский, и разговор заканчивался общим смехом к возмущению библиотекаря, шиканью церковного служки или к мимолетной улыбке официанта в кафе.

«Ты не понимаешь, — говорила она таким тоном, как будто было что-то забавное в том, что он не понимает русского языка. — Я тебя научу».

«Во-да, — повторял он за ней по-русски, опираясь на каменный парапет набережной рядом с мостом Пон-Нёф. — Бул-ка. Па-риж».

У нее были странные теории. Полина вполне серьезно считала, что все проблемы и неприятности в жизни существуют лишь из-за того, что год начинается зимой.

«Ты понимаешь? — горячо, и даже волнуясь, говорила она по-французски. — Зимой! Это же так противно. Слякоть и холодно. У меня, например, мерзнут руки».

Узнав, что китайский Новый год тоже празднуется зимой, она по-настоящему огорчилась.

«Вот видишь. Значит, и у вас в Азии не все в порядке. Год должен начинаться летом. Тогда все двенадцать месяцев будет счастье. Ты любишь лето? Ну, скажи. Нет, стой! Скажи «лето» по-русски. Давай-давай, говори. Ле-то».

Хиротаро послушно повторял за ней «лето», «давай», «водка», «жара» и еще множество разных слов, от которых Полина всегда смеялась, хотя сам он не находил в них ничего смешного.

«Хорошо, что тебя не слышат другие русские, — говорила она. — Они бы вообще умерли от смеха».

«Тогда перестань меня учить».

«Нет. Вдруг тебе пригодится».

* * *

Они кружили по центру Парижа, как два цветных стеклышка в картонной трубке калейдоскопа, затерявшиеся среди сотен других ярких осколков, каждый из которых бестолково и радостно мечется в пределах одного и того же круга по воле всесильной детской руки.

Они бродили по кварталу Маре, заглядывая в крошечные дворики, потом возвращались по Риволи в сторону Лувра и заходили в церковь Сен-Жерве-Сен-Проте, где странные фигуры в белом часами безмолвно стояли на коленях вокруг алтаря, а Хиротаро шепотом рассказывал Полине про синтоистское святилище Сува в Нагасаки и про орхидеи в буддистском храме Кофукудзи. Потом они переходили через остров Сите на другой берег, и он начинал рассказывать ей про мост Мэганэ-баси, который по семейному преданию помогал строить одному китайскому монаху прапрадед Хиротаро.

Оценив близость его квартиры к академии Коларосси, она вскоре перебралась к нему на Монпарнас, и скромных денежных переводов от господина Ивая с этого момента стало едва хватать. Зато Хиротаро снова мог наблюдать за процессом ваяния. Первым делом Полина вдребезги расколотила стоявшую у него на полке статуэтку плачущего мальчика и тут же принялась лепить новую.

«Теперь он у меня будет смеяться. Плаксы нам не нужны. У вас в Японии люди смеются?»

Хиротаро аккуратно собрал с пола все глиняные осколки, а потом попытался пересказать ей на французском несколько классических хокку. Ему хотелось поделиться с ней тем японским, что было особенно дорого для него. И еще он хотел, чтобы она перестала задавать глупые вопросы.

«Замечательно, — сказала она. — Это стихи? А кто написал?»

«Мацуо Басё».

Через несколько дней, задумчиво разглядывая своего нового глиняного мальчишку, она сообщила ему, что тоже написала японское стихотворение.

«Как, ты говоришь, они называются?»

«Хокку», — ответил он.

«Понятно. Тогда слушай мою хокку».

Она провела ладонью по лицу, убирая прядь волос за ухо, и на щеке у нее осталась желтая глиняная полоска.

> Возлюбленная самурая...
> Драгоценные ножны
> Для боевого меча.

В комнате на секунду наступила полная тишина, и Хиротаро отчетливо услышал, как за стеной кладбища Монпарнас кричат птицы.

«Ну как?»

«По-моему, очень хорошо. Чувственно и поэтично».

«Да нет, я про мальчишку. Ничего, что он у меня теперь не сидит, а стоит? Майоль не подумает, что я испугалась?»

* * *

Так прошло несколько месяцев. За это счастливое время Хиротаро успел выучить более сотни новых слов, два раза практически до смерти напиться русской водки и познакомиться с компанией бывших врангелевских офицеров.

Офицеры шумно сдвигали столики в заплеванных и прокуренных кафе, смеялись над его русским произношением, упрекали за Порт-Артур и Цусиму, а потом обязательно лезли целоваться и требовали показать, «как писают самураи». По вечерам он убирал глиняные осколки разбитых Полиной «адмиральских внуков» и в перерывах между всеми этими занятиями умудрялся продолжать работу над своим каталогом лекарственных растений.

Праздник закончился одним дождливым апрельским утром. Из-за барабанной дроби капель по жестяному подоконнику Хиротаро проснулся раньше обычного. Стараясь не разбудить Полину, он осторожно выбрался из-под теплого одеяла, накинул плащ и, поеживаясь, вышел на угол бульвара, чтобы купить для нее в ближайшем кафе горячую булку и молоко.

На обратном пути он остановился у табачного киоска и купил сигарет. Полина уже давно поняла, что лучше Хиротаро выбирать сигареты никто не умеет, и доверилась ему в этом совершенно. Если бы ему захотелось над ней подшутить, он мог скрутить для нее сигарету, просто нащипав травы у подъезда, — она все равно стала бы ее курить. И даже наверняка бы хвалила.

Подойдя к дому, он еще немного помедлил, чтобы задержать охватившее его ощущение счастья, полной грудью втянул пропитанный дождем воздух и лишь после этого не спеша начал подниматься по лестнице.

В комнате перед ним предстала картина, которую он потом долгие годы безуспешно старался забыть. Полина, как перепуганный зверек, сидела, забившись в угол кровати, и судорожно прижимала к себе одеяло, а напротив нее в мокром плаще стоял Масахиро. С мерзкой ухмылкой он тянул конец одеяла на себя и повторял по-японски:

«Покажи грудь. Покажи грудь. Не надо стесняться».

Уронив бумажный пакет с покупками на пол, Хиротаро ужасающе медленно, как будто эта нелепая сцена уже начала мучить его в тяжелых снах, бросился к Масахиро и оттолкнул его в сторону. Тот налетел на стул, на котором лежала его грязная трость, и рухнул возле окна.

«Как ты вошел?!! — по-японски закричал Хиротаро. — Как ты вошел? Говори! Я убью тебя!»

Масахиро в притворном страхе закрылся руками и захохотал:

«Не убивай меня, господин! Не убивай меня, повелитель клизм и лечебных пиявок!»

«Как ты вошел?» — повторил Хиротаро.

«Дверь была не заперта. В следующий раз будешь умнее. Помоги мне подняться».

«Кто это?» — едва слышно спросила по-русски бледная от страха Полина.

«Не хочешь обнять друга детства? — ухмыльнулся Масахиро и сел на полу. — Какой-то ты негостеприимный».

* * *

Он приехал, чтобы вернуть Хиротаро в Нагасаки. Дела господина Ивая в последнее время шли все хуже и хуже, и теперь он не мог выплатить своему банку даже процентные ставки по кредиту. Табачная фабрика уже полгода работала в убыток. Единственным выходом оставалась выгодная женитьба, но родители невесты отказали господину Ивая после встречи и переговоров с Масахиро. Они вежливо прочли все медицинские справки, предоставленные стороной жениха, и высказали опасение, что его врожденная хромота все-таки может передаться по наследству. Масахиро не удалось увидеть невесту даже краешком глаза.

«Поэтому отец решил, что женишься ты. А капитал потом переведешь на его имя. Иначе фабрику придется закрыть. И магазин, кстати, тоже. Да, и вот еще что, чуть не забыл, — у тебя умер отец. Так что, давай, собирайся».

Полина умоляла его остаться, но Хиротаро ответил, что выбора у него нет.

«Значит, так надо», — добавил он и первый раз в жизни почувствовал, как на мгновение вокруг него останавливается весь мир.

На вокзал она примчалась в самую последнюю минуту. Хиротаро вообще не хотел, чтобы она провожала его, но она, разумеется, не удержалась и, вскочив с места прямо посреди занятия, вдруг выбежала из художественной мастерской.

«Вот видите, господа, — развел руками Майоль, глядя на захлопнувшуюся дверь. — Вот вам пример того, как женщины на самом деле любят скульптуру. Так что не верьте сказкам про Камилу Клодель. Роден был бы великим и без этой сумасшедшей из Мондеверга. Думаю, нашу прекрасную даму тоже поджидает психиатрическая лечебница».

На Восточном вокзале царила обычная толкотня, и все же Полина увидела двух японцев практически сразу. Они молча стояли у вагона франкфуртского поезда с такими невозмутимыми лицами, как будто это не они оказались в самом центре Европы, а Европа вдруг навязалась им, и эти двое теперь просто-напросто вежливо терпели ее присутствие.

«Вот, — выдохнула Полина, хватая Хиротаро за рукав. — Я принесла тебе подарок. Чтобы ты помнил меня. Ты будешь обо мне помнить?»

Он посмотрел на деревянную статуэтку в ее руке и впервые за последние три дня улыбнулся.

«Где ты это взяла?»

«У букинистов на набережной. Они сказали мне, что это японская богиня Каннон».

«Да, так и есть. Спасибо тебе большое».

«Только почему-то выглядит как мужчина...»

«Нет, это богиня Каннон. Они тебя не обманули. Просто у нее есть мужское воплощение».

«Не уезжай, я прошу тебя, — голос ее задрожал. — Мне будет без тебя плохо».

«Что она хочет?» — по-японски спросил Масахиро.

«Она принесла мне подарок», — ответил Хиротаро.

«Фальшивую тибетскую статуэтку?»

«Не твое дело».

«Зачем она ее принесла?»

«Не твое дело».

Полина нервно переводила взгляд с одного на другого, пытаясь понять, о чем они говорят.

«Что ему надо? — наконец не выдержала она. — Пусть замолчит! Я не хочу, чтобы он говорил! Пусть замолчит! Я его ненавижу!»

«Урод!» — добавила она по-русски.

«Какая смешная дурочка, — с улыбкой сказал Масахиро. — Они все тут такие?»

В поезде Хиротаро долго смотрел на деревянную статуэтку с четырьмя руками, а затем положил ее в саквояж рядом с последним «Внуком адмирала». Он умудрился спасти его от участи всех остальных, сказав Полине, что ему просто надоело собирать осколки, и легче выбросить статуэтку всю целиком — до того как она разлетится на части. Поэтому теперь улыбающийся от уха до уха «Внук адмирала» лежал у него в саквояже рядом с деревянным Бодхисаттвой Авалокитешвара, и Хиротаро смотрел на эту пару, не находя в себе сил перевести дыхание, закрыть саквояж, убрать его на полку для багажа и продолжать как ни в чем не бывало ехать по залитой дождем Франции в сторону немецкой границы, в сторону Азии, в сторону Нагасаки — словом, все дальше и дальше от Парижа.

«Значит, так надо, — вертелось у него в голове под стук железных колес. — Значит, так надо».

ЛИБРЕТТО

Около полуночи швейцар отеля «Лотти» заметил на противоположном тротуаре дохлую крысу. Согласно его убеждениям ветерана и скромного человека, всю жизнь прожившего в квартале Менильмонтан, площадь Вандом и рю де Кастильон были совсем не тем местом, где парижские крысы могли позволить себе вот так бесцеремонно валяться, неважно — в дохлом или живом виде. Возмущенный швейцар покинул свой пост, где он любил топтаться на мраморном изображении льва, пересек улицу и склонился над тем, что он принял за несчастную мертвую тварь. Однако толком рассмотреть он ничего не успел. Дверь гостиницы хлопнула, швейцар выпрямился, но посетитель, которому он, вопреки своим священным обязанностям, не открыл дверь, уже поднимался по лестнице.

Портье, подсказавший позднему гостю номер нужной ему комнаты, безошибочно определил в нем русского офицера. Такие шинели и знаки отличия он видел летом 1916-го в Шампани, где два года спустя во время наступления в Аргонском лесу потерял правый глаз. Русский задержал взгляд на его черной повязке, коротко поблагодарил, а затем поднялся на второй этаж. Пройдя по роскошному коридору, он постучал в указанную ему дверь, куда был немедленно впущен, несмотря на неурочное время.

Там он пробыл ровно до четырех утра. За это время в номер дважды заказывали сельтерскую воду и крепкий чай. Пожилой австриец, бывший при постояльцах номера в услужении, просил горничную особенно проследить за тем, чтобы чай был заварен крепко. В самом начале пятого ночной гость прошел мимо портье, коротко кивнув ему на прощание, а затем растворился в моросящем дожде за стеклом и позолотой массивных дверей. В номере, откуда он вышел, спать в эту ночь никто уже так и не лег. Дежурный стюард, обычно загруженный работой только в первую половину ночи, вынужден был три раза подниматься со своей раскладной кровати, чтобы сменить у русских постояльцев переполненную пепельницу, открыть большое окно и достать завалившуюся за туалетный столик рубиновую запонку. Всякий раз, когда он входил, разговор в номере прекращался, и оба собеседника — маленькая хрупкая женщина с темными глазами, не поднимавшаяся из глубокого кресла, и напряженно стоявший посреди комнаты мужчина с высоким лбом и густыми усами — отводили взгляд в сторону, как будто им не хотелось смотреть друг на друга, и присутствие постороннего человека наконец позволяло им освободиться от этой тяжкой обязанности.

Вышедший утром на свою смену шофер отеля подал старомодный «Сизер-Нодэн» к подъезду ровно в семь, как ему и было предписано, однако пассажиры спустились из номера лишь в половине восьмого. За эти тридцать минут водитель успел вздремнуть, как привык делать это в окопах, и даже увидеть короткий сон, который с упорной периодичностью беспокоил его последние пять лет. Ему снилась удивительной красоты девушка из батальона снабжения Алжирской дивизии, прибывшей под Ипр накануне газовой атаки немцев. Во сне эта девушка успевала сказать ему свое имя и всегда оставалась живой, жалуясь лишь на то, что в Бельгии весной очень холодно.

По дороге в Венсенский лес бледные от бессонной ночи пассажиры молчали, глядя каждый в свое окно, и только однажды мужчина с густыми усами посетовал вслух на то, что водитель часто кашляет и как-то странно сипит. Впрочем, сказал он об этом по-русски, и шофер не обратил на его слова никакого внимания. Женщина с темными глазами тоже ничего не ответила своему спутнику. Она пристально смотрела на проплывавшую в этот момент мимо них за пеленою дождя башню Лионского вокзала, как будто пыталась прочесть на ее циферблате чью-то судьбу.

В большом деревянном ангаре, рядом с которым остановилось авто, эту бледную пару ждали три человека. Хмурый юноша с изможденным еврейским лицом наигрывал на фортепьяно фокстроты, беспрестанно переходя с одной мелодии на другую. Коротко остриженная девушка в старом и явно чужом пальто время от времени поднималась со своего стула, чтобы сделать несколько танцевальных движений. Она вставала, когда музыка начинала особенно нравиться ей и когда она точно знала, как хороша она будет в этих движениях. Потом девушка снова садилась, продолжая курить и щурить свои широко расставленные как у черепашки глаза. Небольшой, аккуратно одетый толстячок нервно расхаживал вокруг инструмента и безостановочно говорил по-русски, убеждая юношу в том, что тот — гений, что синематограф — это ключ ко всему, и что не стоит обижаться на аристократов за пустячное опоздание. Когда юноша хлопнул крышкой, объявив о своем уходе, дверь скрипнула, и в ангар, шелестя платьем, вошла приехавшая в авто женщина. Секунду она помедлила на пороге, чтобы привыкнуть к темноте, а затем ровным красивым шагом направилась к просиявшему толстячку, который тут же бросился ей навстречу. Ее спутник тоже вошел в ангар, но остановился у самого входа.

Исполнив на бегу странное подобие танца, толстячок жарко расцеловал маленькой даме обе руки и в полном восторге обернулся к хмурому юноше.

«Они приехали! — закричал он по-французски. — Вот видите! А вы не верили».

Дама приблизилась к юноше, глядя ему прямо в лицо, в то время как толстячок у нее за спиной уже торопился представить их друг другу.

«Матильда Кшесинская! — торжественно и нелепо прокричал он. — Димитрий Кирсанов!»

Юноша слегка поморщился от его резкого голоса и протянул руку.

«Простите за опоздание, — сказала Кшесинская, протягивая свою. — Сегодня ночью мы получили тяжелые известия из России... Андрей Владимирович вообще настаивал на том, чтобы никуда не ехать».

Она обернулась и посмотрела в ту сторону, где, скрестив на груди руки, стоял ее спутник.

«Но я обещала. Поэтому мы здесь».

Кшесинская обвела взглядом пустынное помещение. Единственная горевшая лампа висела на длинном проводе прямо над фортепиано, а все остальное пространство за конусом света лишь угадывалось в холодной и гулкой полутьме.

«Вы здесь будете ставить свой фильм?»

Толстячок тут же вмешался, уничиженно и предсказуемо распинаясь о том, что великая балерина, конечно, привыкла к другим сценам, но

Кшесинская не сразу ответила ему. Она взошла на небольшой подиум, зябко поежилась в мертвом электрическом свете и остановила наконец излияния толстячка, подняв маленькую ладонь в серой перчатке.

«Поверьте, мне совершенно все равно, что вы думаете о моих привычках. Давайте перейдем к делу. Вы хотели поставить фильм об одном из моих балетов, и я обещала принять решение — какой именно это будет балет. Однако сегодня ночью многое изменилось. Многое утратило всякий смысл. И старые балеты, мне кажется, в том числе. К чему заниматься новым и дерзким искусством, опираясь на устаревшие образцы? Позвольте мне рассказать вам балет будущего, по сравнению с которым эксперименты Нижинского покажутся публике детской забавой».

Юноша, внимавший балерине все с большим волнением, прервал ее речь аплодисментами.

«Я вижу, господин режиссер меня вполне поддерживает, — улыбнулась Кшесинская. — Значит, сегодня я, а не Миша Фокин буду вашей новой Шехерезадой. И впереди у нас еще одна ночь».

Она отошла от края невысокой сцены чуть вглубь, как будто приглашала своих слушателей последовать за нею, затем обвела пространство вокруг себя завораживающим плавным жестом и заговорила уже без остановок.

«Представьте, что мы на школьном дворе. Школа небольшая, одноэтажная. Сейчас поздний вечер. Вот здесь, посреди двора, стоят четыре подводы. На одной из них несколько человек в солдатских шинелях. На коленях у них — оружие. Еще несколько солдат стоят рядом с крыльцом школы. В окнах мелькает свет керосиновых ламп и тревожные тени. В отсветах большого костра, который горит примерно вот здесь, невысокий человек в штатском и в пенсне что-то счищает щепкой со своего ботинка. С крыльца школы торопливо сбегает молодой человек. Это начальник охраны, или центурион, как хотите. На ходу натягивая шинель, он приближается к человеку со щепкой и сообщает о том, что узники уже собрались. Но человек в пенсне не обращает на его слова никакого внимания. Он продолжает счищать что-то, налипшее на его ботинки. Из школы выходят два солдата с большими зажженными лампами в руках. Такие бывают, знаете, у путейцев, когда они осматривают вагоны по ночам. Следом за ними показывается первый узник. Назовем его «Князь», или нет — пусть это будет «Сергей». Он одет в светлое летнее пальто, в руках у него дорожный саквояж, на голове элегантная шляпа. За ним на крыльцо выходят еще несколько узников, среди которых мы видим двух женщин в монашеском одеянии. Все они держат в руках дорожные сумки. Человек в пенсне, или «Префект» — ведь мы можем и так его назвать, велит им оставить все свои вещи, а затем по одному спускаться во двор, чтобы вот здесь выстроиться в шеренгу, рядом с подводами. Узники послушно опускают свои баулы на крыльцо. Ждут, пока человек в пенсне назовет каждого из них, и проходят на двор».

Кшесинская на мгновение замерла, кутаясь в плащ и прислушиваясь к дождю, который снова забарабанил по металлической крыше. Девушка, танцевавшая до ее прихода фокстрот, шепнула режиссеру, что она ничего не понимает по-русски, но тот лишь кивнул, как будто это так и должно быть и всё в полном порядке.

«В следующей сцене мы попадаем в здание школы. Здесь у нас будет широкий коридор, куда ученики выходят из классов после занятий. У одного из окон, выходящих во двор, стоит кухарка. Она смотрит на то, как рядом с подводами выстраивается короткая шеренга из безмолвных, послушных людей. Напротив окна у противоположной стены, где-то вот здесь возможно, стоит вынесенная из учебного класса школьная доска. На ней мелом нарисована танцующая балерина и что-то написано по-французски... Пусть фраза гласит... Ну, например: «Нет, нам не кажется...» За спиной у кухарки по школьному коридору торопливо проходит начальник охраны. Далее мы следуем за ним... Простите, мы ведь можем позволить себе такое в вашем искусстве?»

Она вопросительно посмотрела на режиссера, и тот кивнул.

«Чудесно. Итак, заглянув к себе в класс, на скорую руку переоборудованный в казарменное помещение, центурион снимает со стены висящую на гвозде портупею, надевает ее, быстро застегивает ремень и направляется к выходу. Кухарка, которая продолжает смотреть в окно, оборачивается на стук его сапог. Ее беспокоит ужин, который она приготовила для тех, кого увозят куда-то в ночь. Никто из них не успел поесть, и, следовательно, вся еда пропадет. Кухарку это тревожит. Центурион успокаивает ее тем, что к утру можно будет устроить целый пир, однако тут же замечает нарисованную на классной доске балерину. Схватив тряпку, висящую на доске, он раздраженно стирает рисунок, от которого остается лишь тонкая рука балерины, приподнятая в прощальном взмахе. Далее мы снова оказываемся в школьном дворе... Послушайте, мне определенно нравится ваше искусство. Это прекрасно, что мы можем с такой легкостью менять место действия. Как было бы замечательно... Впрочем, неважно. Итак, мы снова в школьном дворе. Человек в пенсне, или Префект, как мы его назвали, неторопливым шагом подходит к шеренге людей, выстроившихся рядом с подводами, и начинает срывать с них нательные кресты. Он словно лишает их всех последней опоры. Сорвав крестик с того, кто стоит первым, Префект расстегивает нагрудный карман его френча и достает оттуда какие-то документы. Сергей, который стоит через одного, тут же вынимает что-то из внутреннего кармана своего пальто и прячет зажатый кулак у себя за спиной. Между ними — пожилая женщина в монашеском одеянии. Своим убором она прикрывает большое распятие у себя на груди, но Префект с полным осознанием своего права спокойно отстраняет ее руки и резким движением срывает крест. Женщина смиренно показывает, что она все равно будет молиться о своих мучителях. Человек в пенсне пожимает плечами и переходит к Сергею. Он требует показать, что у того в руке. Сергей вытягивает руку вперед, однако кулака не разжимает, глядя при этом прямо перед собой. Префект секунду медлит, затем вынимает из кармана своего пиджака револьвер. Сергей опускает взгляд на оружие, а затем снова смотрит на два маленьких стеклышка, за которыми прячутся невыразительные глаза. Человек в пенсне ждет, ничем не выражая угрозы, затем взводит курок и уже без промедления стреляет князю в руку. Тот хватается второй рукой за простреленную кисть, кривится от боли, стонет, однако кулака своего так и не разжимает».

У входа в ангар зашипела и вспыхнула спичка. Кшесинская замолчала, глядя на приехавшего с нею мужчину. Андрей Владимирович прикурил и вышел на улицу, после чего трое оставшихся слушателей одновременно повернули свои головы, готовые к продолжению рассказа. Французская девушка, ни слова не понимавшая по-русски, успела к этому моменту не только смириться с тем, что никто ей не переводит, но уже в полной мере была заворожена одними перемещениями балерины по сцене, ее голосом и движениями.

«Далее мы оказываемся в ночном поле, — продолжала Кшесинская. — Тряские подводы, на которых сидят узники и солдаты с большими путейскими лампами, движутся в темноте по разбитой дороге. Женщина в монашеском уборе негромко читает молитвы. С нею рядом сидит скрючившийся от боли Сергей. Простреленную руку он прижимает к животу. Вторая женщина осторожно касается его плеча и предлагает перевязать руку своим платком, но князь отвечает, что это уже не нужно. Он поднимает голову и смотрит в ясное звездное небо, прислушиваясь к молитвам келейницы».

Кшесинская перекрестилась.

«Величая, превозношу Тебя, Господи, ибо призрел Ты на смирение мое и не заключил меня в руках врагов, но спас от бедствий душу мою... Слыша эту молитву, сидящий рядом с монахиней пожилой солдат машинально осеняет себя крестным знамением».

«Прошу прощения, — прервал балерину молодой режиссер, — но, боюсь, в таком виде эту сцену снять невозможно».

«Вас беспокоит молитва? Не веруете?»

«Моя вера здесь ни при чем. Проблема строго техническая. Молитву мы пустим в титре, с этим ничего сложного нет, а вот подводы... Как же нам снять их движение в поле, когда съемочный аппарат стоит неподвижно? Мы не можем его трясти».

«Но вам совершенно не обязательно снимать это в поле и на ходу, — ответила Кшесинская. — Речь идет о балете. Все очень условно. Вы, вообще, когда-нибудь бывали на балетном спектакле? Впрочем, неважно. Если хотите, можем пропустить эту сцену. А сейчас обратимся к прошлому. Давайте перенесемся на двадцать пять лет назад. Это мы можем сделать?»

«Думаю, да. Просто переоденем и загримируем артистов».

«Чудесно. Итак, мы в просторном светлом фойе императорского театрального училища в Петербурге. Молодой Сергей в припорошенной снегом шинели вбегает с улицы. Он очень спешит, потому что опаздывает на выпускной спектакль. Однако, вбежав, он в недоумении останавливается. Прямо посреди фойе две юные девушки в балетных костюмах устроили весьма своеобразное представление. Одна из них — та, что поменьше — изображает мужчину. На голове у нее мужская шляпа, под носом роскошные усы запорожского казака. Усы то и дело отклеиваются, поэтому она вынуждена придерживать их рукой, а поскольку обе юные балерины сильно смеются, усы норовят упасть каждую секунду. Девушки пародируют сцену знакомства Лизы и ее неудачливого жениха из балета «Тщетная предосторожность». Юная танцовщица, исполняющая женскую партию, принимает жеманные позы, а та, что изображает мужчину, совершает вокруг нее довольно нелепые прыжки, резко прижимается к своей партнерше всем телом, всячески имитируя любовную страсть, переходя, в общем-то, границы дозволенного, и выкрикивая при этом вне всякой связи итальянские слова: «Аморе... Андьямо... Пердитта...» Внезапно исполнительница женской партии замечает застывшего на пороге великого князя в распахнутой парадной шинели. Она останавливает свою подругу, та оборачивается и тут же приседает в глубоком книксене, узнав одну из особ императорского дома. Левой рукой она продолжает автоматически придерживать театральные усы, а правой снимает шляпу. Сергей едва удерживается от смеха. Девушки извиняются. Они думали, что все гости уже собрались. Та, что поменьше, давайте назовем ее «Маля», поднимает на князя немного испуганный, но все же очень проказливый взгляд. Сергей чуть дольше, чем этого требует ситуация, смотрит ей прямо в глаза, а затем идет через фойе, приближаясь к двум застывшим в реверансе танцовщицам. Маля не сводит с него внимательного взгляда.

Когда он проходит мимо, обе девушки наконец выпрямляются. Сергей, пряча улыбку, спрашивает — за что они так ополчились на итальянцев, и Маля отвечает, что итальянские артистки, конечно же, хороши, но русский балет славой русских балерин будет превознесен. Сергей с ироничной улыбкой принимает эту дерзость и спешит по коридору в зал, откуда ему навстречу уже летит бравурная музыка. Потом останавливается, снова смотрит на Малю, на небольшой медальон у нее на груди и просит разрешения взглянуть на него поближе. Маля с готовностью снимает медальон, подбегает к великому князю и в грациозном поклоне протягивает ему свое скромное украшение».

Кшесинская на секунду замерла перед своими слушателями в поклоне, о котором только что говорила, и в этой паузе отчетливо и протяжно скрипнула дверь в ангар. Вошедший с улицы Андрей Владимирович сощурился, чтобы привыкнуть к полутьме, негромко покашлял и, наконец, направился к сцене. Усаживаясь на обшарпанный стул рядом с француженкой, он слегка приподнял шляпу, то ли здороваясь с ней, то ли извиняясь перед Кшесинской за свое вторжение.

«Далее мы снова оказываемся в ночном поле, — продолжала она, дождавшись, когда ее спутник перестанет скрипеть стулом. — Подводы с узниками останавливаются неподалеку от жерла заброшенной шахты, которое представляет собой просто огромную дыру в земле. Пусть это будет вот здесь. Над этой дырой в темноте виднеются остатки разрушенного подъемного механизма. С головной подводы спрыгивает человек в пенсне. Он указывает пальцем на самого молодого узника. Солдаты стаскивают с телеги обреченного юношу, и голос келейницы, которая продолжает молиться, звучит громче. К ее молитве присоединяется и вторая женщина в монашеском одеянии. Это великая княгиня Елизавета Федоровна. Вдвоем они все быстрей и быстрей повторяют: «Аще бо и пойду посреде сени смертныя, не убоюся зла, яко Ты со мною еси». В дрожащем свете ламп, отблески от которых прыгают по темным, будто застывшим лицам, юношу волоком тащат к широкому отверстию в земле, а потом сталкивают туда, как ненужный груз. Из черной глубины долетает жалобный вскрик. После этого Префект указывает на Сергея, но тот не дожидается, пока его стащат с подводы, и сам спрыгивает на землю. Солдаты хватают его под руки, однако Префект останавливает их властным жестом. Он приближается к Сергею со словами о том, что ему поручено сделать великому князю некое предложение, но Сергей не дожидается конца фразы, едва заметно покачав головой. «Как знаете», — говорит Префект и снова вынимает из кармана пиджака револьвер. Сергей Михайлович отворачивается от него к Елизавете Федоровне, которая по-прежнему сидит на телеге. Он ловит ее взгляд и, не отрываясь, смотрит в ее широко раскрытые глаза, как будто ищет в них окончательной силы и окончательного покоя, а она словно впускает его в новый и неизведанный мир. Лицо ее не меняется даже тогда, когда стоящий позади великого князя человек поднимает свой револьвер и направляет его тому в затылок. В следующее мгновение звучит выстрел, и тело убитого князя падает в траву. Простреленная рука его наконец разжимается, в мертвой ладони блестит испачканный кровью небольшой медальон».

Балерина замолчала, и все ее слушатели так же молча продолжали смотреть на нее. Спустя две-три секунды француженка улыбнулась, не понимая, закончился ли рассказ и надо ли аплодировать. Кшесинская подошла к самому краю площадки.

«Если медальон понадобится для вашего фильма, то вот он, — вынув украшение из кармана плаща, она показала его режиссеру. — Сегодня ночью нам передал его следователь Соколов, приехавший из России».

Андрей Владимирович поднялся со стула и застегнул пальто.

БУМАЖНЫЙ ТИГР

Зажав правой рукой ворот пальто у горла, Потапов шагнул на улицу. Дыхание от холода жестко перехватило, на глаза навернулись мгновенные слезы. Уши и саднящую лысину стянул тяжелый ледяной панцирь. Метрах в пятидесяти от входа в гостиницу он разглядел шашечки такси и замахал рукой, подзывая машину. Перчаток у него тоже не было, поэтому рука почти сразу застыла, однако шашечки с места не тронулись. Потапов рывком поднял жалкий воротничок своего пальто и осторожно зашагал по обледеневшему тротуару. Сам себе он напоминал в этот момент оторвавшегося от корабля космонавта. Невидимый шланг, который как пуповина соединял его с базовым модулем, разорвался, и, беспомощно размахивая руками, он плыл теперь среди сверкающих звезд в абсолютно безвоздушном пространстве. Дважды поскользнувшись, Потапов доплыл до такси, распахнул дверцу и, не говоря ни слова, упал в теплую прокуренную мякоть салона.

— И чего? — спросил его грузный водитель, не поворачивая головы.

— Ничего, — ответил Потапов и вытер слезы. — Погреться залез.

— Двести рублей.

— Да хоть триста.

— За триста я тебя еще и покатаю чуток.

— Отлично... Тогда поехали. Мне телефон купить надо. К ближайшему магазину подбрось.

Его собственный смартфон погиб на сорокаградусном морозе около часа назад. Потапов слишком долго продержал его в руке, не решаясь набрать номер, и аппарат перестал подавать признаки жизни. Подмороженные пальцы теперь болезненно ощущали каждую складочку в кармане пальто. За десять лет отсутствия в родном городе он совершенно забыл, что такое зима на Крайнем Севере.

— Только что прилетел? — завозился таксист на своем сиденье.

— Пару часов назад.

— То-то я смотрю, одет не по сезону. Весь на стиле такой. Кем трудишься?

— Я режиссер.

— Ух ты...

— Слушай, поехали, а?

Водитель тронул свой «ГАЗ-24» с места, и, постукивая колесами, как поезд на стыках, старенькая «Волга» медленно покатилась вокруг площади. Потапов еще помнил это постукивание. Если автомобиль в холода долго стоял на месте, нижняя часть колес дубела и принимала форму прямоугольника, а потом еще некоторое время не могла вернуться в свое круглое состояние. От этого в городе, который из-за вечной мерзлоты не знал железной дороги, зимой то и дело все-таки раздавался веселый перестук.

Притормозил таксист у того самого дома, где Потапов провел свое детство. Еще месяц назад на подобное совпадение он не обратил бы никакого внимания, но сейчас даже из машины вышел не сразу, слегка растерявшись и подумав о том, что это, наверное, знак.

У короба теплотрассы рядом с кладовками стоял полицейский «уазик», а чуть подальше — грузовая машина. Двое полицейских, одетых в громоздкие бушлаты, заглядывали в короб и разговаривали с кем-то внутри. В кабине грузовика мерцал равнодушный ко всему огонек сигареты. Потапов справился с приступом внезапного головокружения и побрел к магазинчику, над которым светились яркие буквы «СВЯЗЬ».

Ощущение катаклизма и грядущего конца света, охватившее Потапова, едва он вошел в свой старый двор, было ему знакомо. В принципе, оно не покидало его уже несколько месяцев. Прошедшим летом, когда вокруг Москвы от небывалой жары горели деревни, леса и торфяники, а сталинские высотки исчезали в белесом дыму уже начиная с пятнадцатого этажа, Потапов каждое утро подолгу смотрел на раскаленный, затянутый смогом город из своей прохладной квартиры, и мощные кондиционеры, едва слышно гудевшие в каждой комнате, не приносили ему чувства безопасности. Скорее, наоборот, они подчеркивали его полную зависимость от множества самых различных обстоятельств, которые обеспечивали его комфорт, но в любую минуту могли обернуться против него, раздавить его в тисках зноя, сплющить, испепелить, уравнять с остальными. При мысли об этих вещах — о прекращении подачи электричества, о крупной аварии в том месте, откуда идет вода, о зное, о панике, о неизбежных вспышках насилия, о беспорядках и массовом хаосе, с которым не справится ни одно государство, а главное, о своем равенстве с остальными перед лицом этого хаоса — Потапов остро улавливал хрупкость не только своей собственной и для него совсем не маленькой жизни, но и полную беззащитность всего человечества. Впрочем, тут он особенно не лукавил перед собой. Гибель почти семи миллиардов людей представлялась ему больше в элегическом и философском ключе, тогда как свою собственную преждевременную кончину он рассматривал как направленную лично против него трагическую несправедливость. Не боясь, по существу, самой смерти, он отказывался признать важность и значение того, что погибнуть при большой катастрофе могут буквально все. Эти все для него были тем, с чем он совершенно не хотел уравниваться ни при каких обстоятельствах — даже становясь таким же мертвым, как и они. Смерть для Потапова совсем не имела тех общих и всех уравнивающих свойств, которые, по его мнению, были придуманы лишь для того, чтобы помочь измученным болезнью или нищетой, или отсутствием таланта некрасивым и неумным людям смириться и принять неизбежное. Свою возможную гибель в большой катастрофе он ощущал как свое персональное поражение, как свою личную, пусть и не очень заметную на общем фоне лажу. Читая в Интернете кликушеские посты о якобы грядущем в 2012 году конце света и прикидывая собственные финансы, которых должно было хватить как минимум еще лет на десять, он делал простые арифметические выводы и находил странное удовольствие в том, что запаса прочности у него оставалось намного больше, чем у планеты. То есть он еще мог позволить себе два-три провальных проекта в своем расписании, а планета в своем уже не могла. В этом соревновании она ему проиграла.

Потапов скользил по наледи в глубь двора, вглядываясь в тот угол, где две унылые пятиэтажки сходились перпендикулярно друг другу. Там темнел вход в его бывший подъезд. Труба теплотрассы рядом с подъездом была привычно покрыта бородой ледяных сосулек, только борода эта была перевернута, расширяясь книзу и у своего основания достигая ширины в полтора метра. Вода из трубы, сколько помнил Потапов, бежала всегда. Зимой она превращалась в такую вот ледяную Фудзияму, а летом убегала под дом, где подтапливала потихонечку и размывала вечную мерзлоту, в которую были вбиты сваи несущей конструкции. Дом от этого слегка «плыл», в квартирах на стенах появлялись длинные, уползавшие куда-то к соседям трещины, которые зимой покрывались мохнатым сверкающим инеем, однако труба у подъезда продолжала бежать круглый год, и это никого особенно не волновало. Если кто-то хотел продать в этом доме квартиру, то заклеивал трещины сплошными полосами бумаги, белил стены и только после этих мероприятий звал потенциальных покупателей на смотрины. Бумага отлично держалась месяца два.

Толстые наросты льда под трубой напомнили Потапову окна в его старой квартире. Тройные рамы, законопаченные технической ватой и оклеенные сверху грубой бумагой, нисколько не спасали от наледи, поэтому к весне на окнах наслаивалась шершавая серая муть толщиной не менее пятнадцати сантиметров. Ее лунная ноздреватая поверхность никогда не бывала белой из-за того, что обыкновенная человеческая жизнь в непроветриваемой квартире на протяжении нескольких месяцев производит космические объемы пыли, и то, что не успевало оседать в легких, слой за слоем накапливала на себе эта наледь. Дышать на нее, скрести ногтем или пытаться протаять ее ладошкой в надежде хотя бы одним глазком глянуть наружу было бесполезно. Даже свет она пропускала с трудом. Четыре месяца он сочился в квартиру тихой сапой примерно по часу в день, как преступник, который еще не решился на преступление, а только присматривается. Вся зимняя жизнь в квартире протекала при электричестве. Со временем наледи становилось тесно на стеклянной поверхности, и она перебиралась на рамы, выпучиваясь по бокам, сползая доисторическим ледником на подоконник. От этих ее экспансий краска на рамах и подоконнике каждую весну пузырилась, и тот, кто особенно себя ненавидел, мог с легкостью получить удовольствие, резко проведя по этому месту рукой.

Дождаться, пока наледь на окнах растает сама собой, у Потапова никогда не получалось. В детстве он с осени вдавливал в этот ледяной монолит мелкие монеты, и, когда они начинали отваливаться, он вооружался кухонным ножом. Колупать ненавистный лед было для него ни с чем не сравнимым наслаждением. Потапов нагревал нож над газовой конфоркой, быстро — чтобы тот не остыл — пробегал через всю квартиру к себе в комнату и с шипением погружал его в серую муть. Нож входил глубоко, но толстенной плите льда это ничуть не вредило. Приходилось бегать на кухню еще не один раз, чтобы отколоть хотя бы небольшой кусок от этого айсберга. Маленький Потапов, забравшись на подоконник, самозабвенно, как узник мрачного замка из романа Дюма, кромсал ножом лед на своем окне. Под коленями у него хрустели осколки, однако толща этой вертикальной Гренландии ничуть не становилась прозрачней. Однажды он сильно перестарался и вместе с огромным куском льда вынес фрагмент стекла из нижнего угла внешней рамы. Заметил это он только тогда, когда подоконник под ним окрасился кровью. Позабыв тут же, впрочем, о своих бедных коленях, он прильнул к отверстию диаметром примерно в двадцать сантиметров и едва не заплакал, увидев сияющий уличный фонарь.

Мартовские фонари для некоторых жителей города имели такое же значение, какое свет маяка имеет для команды потрепанного долгим плаваньем судна. По крайней мере для Потапова они имели такое значение. Всю зиму фонари тускло напоминали о себе едва различимыми в тумане блеклыми пятнами и лишь в марте вдруг начинали сверкать в синем вечернем небе, как будто с глаз, наконец, кто-то срезал тоскливое, почти непрозрачное бельмо. Небо до этого незаметного и великого мартовского момента, кстати, тоже не было синим. Точнее, его не было вовсе, потому что в идеально сером пространстве только человек с очень хорошим воображением или, наоборот, с полным его ущербом сможет с уверенностью сказать вам, где сейчас находится небо. Не все, разумеется, замечали появление мартовских фонарей, но были в городе и такие, кто месяцами ждал их, терпеливо снося пытку полумглой и туманом.

— Да чтоб тебя, — чертыхнулся Потапов, перешагнув скользкий порог магазина и впустив за собой снаружи белые морозные клубы. — Тут видеопрокат, что ли?

Стены тесного магазинчика были украшены огромными постерами к известным фильмам. С одного из них на Потапова многозначительно смотрел Джон Малкович, плотно зажатый между головками Мишель Пфайффер и Гленн Клоуз. Настойчивый и в то же время неуловимо уклончивый взгляд Малковича в белом придворном парике намекал на что-то очень запретное, но веера обеих дам как будто стремились развеять угрозу. Справа от этой жеманной группы совершенно голого и не толстого еще Марлона Брандо обнимала настолько же голая парижская подруга, которая сидела, подтянув колени к самой груди, поэтому разглядеть ее было невозможно. К тому же это место на плакате было забито белыми буквами из никому не нужных имен бесправных, но одержимых тщеславием рабов Бертолуччи.

— Мне один чудак сказал, что здесь телефоны продаются, — буркнул Потапов, переводя взгляд с голой Марии Шнайдер на высокого и крупного в кости продавца, уткнувшегося в красную книжицу.

— У нас еще не то скажут, — через паузу ответил продавец, не отрываясь от своей книги. — Я бы не всему верил... Но телефоны мы продаем.

— Да? — Потапов недоверчиво покосился на Жерара Депардье, который несмело заглядывал через окно в комнату к очень строгой Фанни Ардан.

На подоконнике между французами стояла плетеная корзинка с апельсинами, а Фанни увлеченно кромсала ножом один из них, монументально занимая в своей целомудренной белой блузке практически весь передний план. Скрытый соблазн, борьба за лидерство и жестокое обращение с фруктами — вот как представлял себе женщин Трюффо, если судить по этому постеру.

— А плакаты эти тогда зачем?

Продавец искоса посмотрел на Потапова, отсканировал его «лук» и счел заслуживающим ответа.

— Это у нас креатив. Хозяин от большого ума придумал пиар-ход. Продажи должны подскочить выше крыши... Но что-то не подскакивают.

Продавец был из необычных для этого бизнеса. Его длинные светлые волосы были убраны в густой хвост. Кожаная куртка-косуха с множеством металлических заклепок и замков-молний пряталась под замшевой душегрейкой без рукавов. Черные джинсы были заправлены в высокие армейские берцы. Из-под бледного мясистого лба с двумя розовыми прыщами и глубокими складками смотрела пара таких же мясистых, не очень приветливых глаз. На обложке красной книжицы у него в руке Потапов разглядел круглый портрет Мао Цзэдуна. Поклонник идей великого кормчего находился тут явно не на своем месте. Или до сих пор не понял — кто он. Хотя тридцатничек ему уже подкатил. При разговоре он избегал смотреть в глаза собеседнику. Мясистый взгляд его, начиная с беглого заскока на лицо Потапова, затем убегал влево или вправо, как будто Потапов пришел не один, или как будто продавец при всей своей видимой уверенности в себе и очевидном презрении к окружающим хотел скрыть что-то стыдное.

— Пиар-ход? — переспросил Потапов.

— Ага, — продавец почувствовал, что клиент его — человек во всех смыслах нездешний, и потому готов был уделить ему немного своего царского времени. — Приблуду с плакатами вот сочинил. Говорит, они все из фильмов про любовную связь.

— И что?

— Так у нас магазин «Связь» называется.

Глаза его скользнули вбок, и Потапов невольно обернулся.

— А-а, в этом смысле, — протянул он, не обнаружив позади себя ничего примечательного. — Связь... Ну да... А я не сообразил.

— Никто не соображает. Но ему кажется, что это мясо.

— Не понял.

— Он думает, это мрачно круто, — пояснил продавец. — Капиталист. Вот еще подставочки особые для труб замутил.

Продавец вынул из-под прилавка и показал Потапову подставку для телефона в виде больших пухлых губ. Мобильник вставлялся в эту велюровую красную пасть, губы раздвигались, и вся композиция должна была, очевидно, создавать эротическое напряжение, пока абонент ждал звонка от любимого человека.

— Еще он прогу написал для тайных звонков. Если хотите, за отдельную плату можно поставить.

— А что это?

— Прога такая, я же говорю. Программа. Трэшак.

— А-а, программа... И что она делает?

— Позволяет скрывать некоторые звонки. Они не отображаются ни в списках набранных, ни входящих.

— Зачем?

— Ну, если вам подруга, например, часто звонит. А жена любит в телефоне без вас копаться. Можно даже настройку установить, чтобы эти звонки без гудков проходили. Вам, например, кто-то важный звонит, а вы с женой в этот момент в машине там, или в ресторане. Телефон даже не пикнет.

— А как я узнаю, что мне звонили?

— Вибрация. Ее можно только на этот номер установить. И кроме вас, никто не узнает. К тому же от звонка никаких следов. Не надо чистить потом журнал входящих. Многие, кстати, про это вообще забывают... Хорошие семьи распадаются.

Он кивнул с такой уверенностью, как будто сам только что спасал такую семью.

— Понятно, — вздохнул Потапов. — А ты что здесь делаешь?

— Я? — от резкой перемены в разговоре продавец растерялся, и взгляд его не успел убежать в сторону, замер на собеседнике, как уснувшая вдруг муха. — Так я эти телефоны продаю.

— С Мао Цзэдуном?

Продавец невольно опустил взгляд на книжку у себя в руке, но тут же внутренне подобрался.

— А в чем дело? Вы что, проверяющий?

— Да.

Мясистый взгляд продавца медленно набух раздражением.

— Никто не говорил, что на рабочем месте нельзя читать. Вы, вообще, от кого? Мне Толик сказал, что он сам будет за всем следить. Это он вас прислал?

Потапов знал один такой хитрый способ пожимания плечами, который даже с последнего ряда легко прочитывался любым зрителем как фраза «А ты сам разве не догадываешься?». На поиск и закрепление этого жеста с актерами у него однажды ушла целая репетиция, но оно того стоило, потому что работало безотказно. При условии «Догадайся сам» люди обычно предполагают, что их ждут неприятности, а вуаль умолчания многократно усиливает чувство тревоги.

— Ты мне пока телефончик продай. А после этого мы с тобой разговор продолжим.

Наблюдая за скованным теперь в движениях продавцом, делавшим какие-то свои отметки в технических документах, Потапов подошел к прилавку и взял раскрытую красную книжицу, которая лежала страницами вниз. Продавец настороженно покосился на этот жест, но смолчал. Он уже укладывал телефон в коробку. Потапов начал неторопливо перелистывать странички.

— Так вы все-таки от кого? — не выдержал молчания продавец.

— Я? — Потапов поднял на него заранее приготовленный по-детски открытый, лучистый взгляд. — Я от товарища Мао.

Руки продавца перестали теребить коробку. В глубине его мясистых глаз, как в океане, тенью кита прошла какая-то мясистая мысль.

— Вот здесь вот написано, что всякий империалист — это бумажный тигр, — продолжал

Потапов, стремительно перекрывая продавцу обратный путь в адекват. — А хозяин твой... как его? Толик... Империалист?

— Да нет... У него, максимум, еще две торговые палатки. Ну, и веб-студия... Пара компов, трэшак... Не круто.

— Ага! Веб-студия. И через эту веб-студию Толик расползается грязным пятном по всему миру. Выходит, что он все-таки империалист. А значит — бумажный тигр. Так зачем же ты вкалываешь на бумажного тигра? Помогаешь ему шуршать бумажными лапами? Заметь, это сейчас не я с тобой говорю. Это товарищ Мао. Ты сам не чуешь — какой у тебя здесь косяк? Реально строишь капитализм. Чувак, а как же революция? Пепел Клааса уже не стучит в твое сердце?

С Уленшпигелем Потапова, конечно, занесло, однако сильно взволнованный к этому моменту продавец ничего не заметил. Тем более что Тиль тоже боролся с угнетателями. Позиция Потапова укреплялась еще и тем, что продавцу, по большому счету, было без разницы — прикалывается его странный клиент или нет. Сам он, очевидно, давно перешел эту грань, и то, что раньше являлось для него просто приколом, эпатажем, при помощи которого он бессознательно скрывал от окружающих свой неуспех в жизни, постепенно переросло в нечто большее и стало способно скрывать его статус даже от него самого. Он уверовал в революцию, в Че Гевару, в Мао Цзэдуна, и эта агрессивная вера, как обезболивающие уколы, позволяла ему переносить успех в жизни других людей.

— Да я тут ненадолго, — прорвало, наконец, продавца. — Матушка просто достала. Говорит — иди работай, чего лежишь. А я что, лежу? Я размышляю. Мне надо затаиться, надо ждать. У Мао написано — в стратегическом отношении мы должны презирать всех врагов. Я презираю. Но дальше он пишет, что в тактическом отношении мы должны уделять врагам серьезное внимание. И тут еще матушка жилы из меня тянет... В общем, я решил пойти на разведку.

— К Толику нанялся?

— Ну да. Мы с ним когда-то в одном классе... Короче, враг сам по себе не исчезнет. Надо его изучить. Я, знаете, о чем на самом деле мечтаю? О джипе.

— Не слишком буржуазно?

— Да нет, погодите. Такой большой черный джип, с большим черным пулеметом. Реальное мясо. У меня в «Сталкере» был такой.

— Где?

— В «Сталкере». Компьютерная игра по вселенной братьев Стругацких. Вы «Пикник на обочине», надеюсь, читали?

Взгляд продавца уже не бегал по сторонам, а тяжело буравил Потапова из-под массивного бледного лба.

— Ну-у... неважно. Ты продолжай.

— Короче, выезжаешь на центральную улицу и начинаешь гасить во все стороны — та-та-та-та-та...

— Постой, но там же не все империалисты.

— Да мне по фигу — что империалисты, что их бараны. Уничтожим баранов — империалистам некого будет стричь. И если уж на то пошло — бараны гораздо хуже. Они ведь сами хотят, чтобы их стригли. Сами соблазняют сильных. А в Библии, кстати, написано, что горе тому, через кого соблазн приходит в мир. Тупостью своей соблазняют. Ни к чему не стремятся, ни о чем не мечтают, покорные как... бараны. Заранее согласны на свою жвачку.

— А ты мечтаешь?

— Конечно.

— О чем?

Продавец удивленно и даже слегка растерянно смотрел на Потапова, как будто вдруг потерял единомышленника:

— Как о чем? Я же сказал... О джипе.

В гостинице было прохладно, поэтому Потапов не спешил снять пальто. Вынув из коробки новый телефон, он переставил в него сим-карту из старого и посмотрел на часы. В Москве уже наступило утро.

Набрать знакомый наизусть номер снова оказалось непросто. Дважды доходя до последней цифры, Потапов нажимал отбой, а затем стоял у окна и решался на третий.

— Приве-ет, — негромко прозвучал, наконец, в трубке бесконечно милый, заспанный голос. — Ты куда пропал?

— Я недалеко... Натуру отъехал поискать для съемок.

— Сбе-ежа-а-ал, — насмешливо протянул голос, еще чуть хрипловатый ото сна.

— Да нет, — беспомощно запротестовал Потапов. — Я просто...

— Ну и зря, — женщина на том конце улыбнулась, а он, подобно трепетному, изнывающему от любви псу, тут же уловил эту улыбку.

— Постой, ты что... получила результаты?

— Да-а, — торжество в ее голосе переливалось красками, на которые он даже не смел рассчитывать.

Весь долгий шестичасовой перелет из Москвы он погибал от страха за нее и от стыда за себя.

— И что? — выдавил Потапов.

— Возвращайся, — она помолчала немного. — Химия мне не нужна. Врач сказал — все в порядке.

САРДАНА И СЕСК

Она шла по Рамбла со стороны площади Каталонии. Бульвар окутывал ее мягкими тенями и запахами, платаны источали прохладу, груды цветов благоухали в каждой торговой палатке. Воздух был матовым и от этого казался не совсем прозрачным. Миновав перекресток бульвара с улицей Портаферрисса, она поняла, как живется рыбкам в аквариуме. Ее движения стали плавными, ощущение веса покинуло ее, воздух сгустился, и в нем теперь можно было плыть.

Мимо нее проплывали другие любопытные рыбки. Свет играл на их лицах, негромкая речь и улыбки скользили куда-то поверх голов и уплывали еще выше, чтобы раствориться в ажурной листве платанов. За столиками у открытых дверей кафе уже сидели смуглые любители утренней сигареты и крепкого кофе. Проплывающих мимо они провожали добродушными и слегка сочувствующими взглядами, ибо все, что требуется человеку для счастья, уже было у них под рукой.

Скользя над плитками тротуара мимо рынка Бокерия, она уронила взгляд себе под ноги и остановилась. Бульвар показался ей вдруг волнистым, как морское дно на небольшой глубине. Она невольно провела по плиткам ногой, чтобы удостовериться, и вздрогнула от того, что из-за спины вынырнул симпатичный, но какой-то помятый парень, сверкавший белозубой улыбкой во весь рот.

— Тут гладко, — сказал он по-английски, присаживаясь на корточки. — Это просто казаться. Волны нарисованы... Все удивляться... Попробуй.

Он погладил тротуар смуглой ладонью и похлопал по нему, как будто тротуар был водой, и он предлагал ей окунуться. Подкупающая улыбка слегка ослепляла ее, поэтому она перевела взгляд на его спину.

— Фабрегас, — кивнул он, поняв, что она читает надпись у него на футболке, и горделиво показывая туда большим пальцем. — Футбольный клуб «Барселона». Зовут как я... Тоже Франсеск. Мы говорим — Сеск... Я — Сеск... Потрогай, не бойся.

Он продолжал похлопывать ладонью по плиткам, и она наконец присела на корточки рядом с ним. Тротуар действительно был ровным как стол, а волнистым казался только из-за причудливого дизайна.

— Видишь? — сказал улыбчивый парень.

Она кивнула, улыбнувшись в ответ, но в это мгновение что-то с невероятной силой рвануло ее сзади, и она не удержалась на ногах. Нелепо растянувшись, больно ударившись локтем, она упала на тротуар и увидела, как в переулок справа от рынка убегает человек. В руках у него была светлая сумочка, до этого висевшая у нее на плече.

— Там паспорт... — беспомощно сказала она по-русски.

Парень, который заставил ее присесть, бросился следом за убегавшим, но тут же в растерянности закрутился на месте, оглядываясь на лежащую посреди бульвара девушку. Затем подбежал к ней и опустился на колени. За спиной у него остановилась пожилая пара, заговорившая на немецком. Остальные гости каталонской столицы продолжали чинно шествовать мимо, на секунду оглядываясь на упавшую девушку и тут же забывая о ней.

— Все нормально! — прервал парень в футболке встревоженные вопросы немцев. — Идите! Все о'кей...

Помогая подняться девушке, он энергично кивал немецкой чете до тех пор, пока те не двинулись дальше. Впрочем, далеко они так и не отошли. Увидев двух женщин в полицейской форме, старушка замахала им рукой. Парень потянул девушку в переулок.

— Идем... Я знаю, где сумка... Я помогать...

Она послушно заковыляла следом, на миг обернувшись в сторону полицейских, но он крепко сжал ее локоть.

— Надо быстрый... Полиция — долго... У них — помощь нет...

Через минуту они вошли в прохладный полутемный бар, где у стойки пили кофе двое мужчин с очень арабскими лицами.

Мужчины молча покосились на хромавшую девушку, и парень в футболке потянул ее в дальний угол — к столику рядом с холодильником.

— Здесь, — кивнул он. — Ты сидеть.

Отойдя к стойке, он что-то быстро сказал бармену, и пока девушка словно в ступоре не сводила взгляда с висевшего над головами арабов огромного окорока, тот налил парню что-то в два бокала.

— Орухо, — сказал парень, возвращаясь и снова сияя белозубой улыбкой.

— Мне надо паспорт вернуть, — заговорила наконец девушка. — Я без него не улечу. И деньги... Там почти тысяча евро.

— Хороший английский, — кивнул парень, подвигая к ней бокал. — Пей... Ты — Япония?

— Я из России.

— А смотреть как Япония... Или Китай.

— Пойдем за моей сумкой. Где она? Ты знаешь того человека?

— Пей, — он дружелюбно кивнул и многозначительно улыбнулся. — Ты хочешь. Это вкусный.

Слегка подрагивающей рукой она взяла бокал и сделала жадный глоток, тяжело при этом вздохнув. В следующую секунду во рту у нее полыхнуло огнем, дыхание жестко перехватило, а глаза заволокло пеленой слез.

— Что это? — выдавила она.

— Орухо, — сияя, показал он ей большой палец. — Скоро стать хорошо. Пей снова.

— Сам пей, — девушка оттолкнула от себя бокал и вытерла слезы. — Где тут полиция?

Она так резко поднялась на ноги, что отодвинутый ею стул громко скрежетнул ножками по полу. Арабы у стойки как по команде повернули головы на звук.

— Шум — плохо, — покачал головой парень. — Тут не любить шум. Сиди спокойный... Орухо пей.

Она посмотрела на арабов, которые продолжали неподвижно смотреть на нее и мимо которых ей предстояло пройти к выходу. Секунду помедлив, она опустилась на стул рядом с парнем.

— Умный, — одобрительно кивнул тот. — Пей. Будь спокойный.

Девушка еще раз покосилась на двух арабов, снова взяла бокал и, коротко выдохнув, залпом опрокинула его в себя.

От неожиданности парень замотал головой, а потом рассмеялся.

— Быстрый! Русский — как молния! Хочешь мой?

Она с вызовом посмотрела ему в лицо.

— Хочу.

После второго бокала она слегка успокоилась.

— Как, ты сказал, тебя зовут?

— Сеск. Полный имя — Франсеск, но я как Фабрегас. Футбол... Барселона...

Он сделал мечтательное лицо и покрутил в воздухе руками.

— А ты имя?

— Сардана.

Сеск не сумел скрыть удивления.

— Сардана? Родители жил в Каталония?

— Нет, они из Якутии. Это Сибирь. И тут никогда не были.

— Откуда знать про сардана?

Она пожала плечами:

— У нас часто девочек так называют. Обычное имя.

— Сардана — не имя, — загорячился он. — Это танец. Очень важно для Каталония. Свобода. Национальный дух. Франко запрещал.

— У нас тоже национальный дух. Только сардана — это цветок.

Он помолчал

— Красивый?

— Да. Разновидность лилии.

— Какой цвет?

Она вздохнула:

— Разные бывают... Красные, оранжевые... Очень красиво.

— Как ты?

Она посмотрела ему в глаза и перестала улыбаться.

— Кто-то обещал сумку вернуть.

Сеск поднялся из-за стола, но уходить почему-то медлил. Как будто ему нужно было на что-то решиться. Он потоптался несколько секунд на одном месте, посмотрел на арабов у стойки, на Сардану, потом нахмурил брови и зашагал к выходу. У двери он еще раз обернулся и ободряюще махнул ей рукой.

Через час она поняла, что он не придет. Бармен за это время успел перемыть не только всю посуду, но и пол. Арабы незаметно переместились ближе к ней и сидели теперь за соседним столом. Обглодав жареные ребрышки, они стали, не мигая, смотреть на нее и произносить односложные фразы. Орухо к этому времени уже выветрился, поэтому выглядели эти мужчины совсем не забавно. Когда она собралась уходить, один из них пересел за ее столик.

Сардана поднялась на ноги. Араб улыбнулся и попытался взять ее за руку. Она отшатнулась. Бармен что-то сказал по-испански, но арабы в ответ лишь засмеялись. Им нравился ее испуг. Они заметно оживились от ее страха — как будто в пресную пищу кто-то щедро добавил им пряных специй.

Продолжая смеяться, они о чем-то говорили между собой, но Сардана их не слышала. Она видела, как шевелятся их губы, как вздрагивают от смеха их плечи, однако звуки не доходили до нее. Они словно застряли в прозрачном, но непроницаемом облаке, которое окутало ее с ног до головы, заставив оцепенеть и внушая нелепую надежду на то, что с нею ничего не случится, пока она неподвижна, пока она не сделает шаг, пока не выйдет из этого облака.

Затем откуда-то из-за спины смеющегося араба появилось очень серьезное лицо Сеска. Араб скользнул влево, второй вскинул руку, и в следующее мгновение Сардана почувствовала, как что-то увлекает ее к выходу. Завороженно отдавшись чужой воле, она немой тенью проплыла мимо барной стойки, сделала еще пару шагов, преодолевая густую глубоководную плотность, и наконец вынырнула, жадно вдохнув, почти задыхаясь уже, на поверхность залитой солнцем Барселоны.

Звуки вернулись на небольшой площади у собора, где под громкую и торжественную музыку духового оркестра взявшиеся за руки люди мерно переступали с ноги на ногу и невысоко подпрыгивали, образовав несколько больших кругов. Убранные в хвосты волосы девушек раскачивались у них за спинами, как темные маятники. Юноши были внимательны и строги.

— Вот сардана, — сказал ей Сеск и потянул за собой к одному из кругов.

Люди с готовностью расступились, принимая их в круг. Сардана ощутила в свободной руке чью-то руку и стала неторопливо подпрыгивать вместе со всеми. Плавные движения, мерное перешагивание, вытянутые руки, соединенные с другими руками и поднятые почти до уровня головы, — все это было совсем не похоже на ее родной осуохай, и в то же время это был он.

— Не плачь, — сказал Сеск. — Все хорошо. Туда посмотри...

Он кивнул в центр круга, где танцующие сложили свои рюкзаки и сумки. На самом верху лежала ее светлая сумочка.

— Я вижу, — сказала Сардана. — Я не поэтому плачу.

ЛОКТИ ИЛИ КОЛЕНКИ

А дальше всё было как в сказке. Только, чтобы эта сказка началась, мне надо было выполнить главное условие — полюбить себя.

И тут я поняла, что это засада. За что мне себя любить? За эти коленки? За локти? Или за что? Короче, тут надо было разобраться, и я решила обратиться к специалисту. А кто у нас главный специалист по любви? Понятно же, даже голову ломать не надо. Зашла в Интернет и стала искать собаку. Мою собаку. Ту самую, о которой мечтала всю жизнь и которую до сих пор не могла себе позволить. Вернее, сначала это мама не могла мне ее позволить, потом обстоятельства, потом еще что-то, пятое-десятое — короче, в жизни всегда так. Открыла страничку собаководов и стала выбирать.

И столько на меня хлынуло оттуда этой любви.

У хаски глаза как две голубые льдинки. Дэниэл Крейг с такими же ходит, и еще Рэй Лиота. Ледяная любовь. Смотрит на тебя как маленький Кай на Герду — и ты таешь, улетаешь, мечтаешь. Потом наткнулась на алабая — огромный и теплый как вагон метро в январе. Можно улечься ему на спину, и он повезет. В общем, было из чего выбрать.

Но денег хватило на небольшую болонку. Маленькая такая, неказистая, но зато моя. И самая красивая на свете.

Короче, принесла Виту домой, и началась у нас с ней любовь. Она ходит за мной, души не чает, а я за ней слежу — анализирую. Как Роберт де Ниро в фильме «Анализируй это»... Или там не де Ниро анализировал? Нет, кажется, он там был гангстер, и анализировал его кто-то другой. В общем, неважно. Главное, было понять — за что меня Вита любит. За какие параметры. Я себе сказала — как только выясню это, сама смогу себя за них полюбить. Задача, надо признаться, не из легких. В смысле — не выяснить, а второе.

Подхожу к зеркалу, смотрю на себя и Виту краем глаза вижу. Та подбежала сзади и уселась, ждет, когда я обернусь. Я говорю — может, волосы, Вита? Она молчит. Я ее спрашиваю — как насчет глаз? Вита зевнула. У нее язычок такой смешной — маленький, розовый, и, когда она зевает, он таким колечком заворачивается. Я говорю — вот и поговорили. И отворачиваюсь от зеркала. А эта дурочка вскакивает на ноги как пружинка и начинает вертеться волчком. Ей радостно только от того, что я к ней повернулась. И какие из этого выводы? Не могу же я сама к себе поворачиваться, а потом вот так вертеться от счастья. Хотелось бы, конечно, но не смогу. В общем, я так и не поняла, за что она меня любит — за что вообще можно меня полюбить.

Тогда я решила идти от противного. Если не можешь понять, за что тебя любят, надо выяснить — по каким причинам тебя не могут терпеть. А потом избавиться от этих причин. Всё просто. Оставалось только найти место, где люди активно не любят друг друга. В принципе, это, конечно, театр, но там всё уже слишком знакомо. Рутина взаимной ненависти уже настолько замылила глаз, что никто и причин этого раздражения не помнит и правду тебе уже, конечно, не скажет, просто в двадцатый раз подтвердят, что ты уродка и бездарь, но при этом не скажут почему.

И я решила пойти на бокс. А что? Хорошее место. Если люди мутузят друг друга по десять раундов, они ведь должны испытывать хотя бы легкую неприязнь. Ну, то есть выходит боксер на ринг, и ему надо бить человека — он ведь не может это делать просто так, без эмоционального участия. Нет, ну понятно, когда тебе долбанут — тогда уже без разницы, какой перед тобой противник, уродливый или симпатичный. Важно, что он тебе врезал, и тут уж не до причин. А вот что делать до того, как он тебя треснул? Я вот лично просто так человека по голове ударить не могу. Надо его сильно не любить за что-то.

Короче, пришла я на бокс. Они на меня так посмотрели и говорят — мы болонок боксу не обучаем. Я говорю — это не Вита драться будет, а я. Они усмехнулись — вот мы и говорим, что болонок боксу не обучаем. И я сразу начала понимать, почему я их не люблю. Почему они меня не любят, я еще не понимала, а вот свои чувства мне были предельно ясны. Поэтому я попросила у них перчатки и сказала, что раз я заплатила за их дурацкие уроки, то я хочу кого-нибудь немедленно избить, и пусть мне покажут, как это делать, а Вита будет сидеть привязанная к скамейке. Они сказали — ну хорошо, и, когда я на этой скамейке очнулась, Вита действительно сидела, привязанная к ней. Я сказала им большое спасибо и на следующий день принесла фотоаппарат. Поставила его на штатив, а когда они спросили — зачем, я ответила — что хочу сделать фотосессию. Они говорят — мазохистка, что ли? Я говорю — нет, я в театре работаю. Просто мне надо увидеть выражение своего лица, когда по нему будут бить тяжелой перчаткой, мне для одной роли нужно. Они говорят — вообще-то перчатка не тяжелая, это просто Настя «Наковальня» так умеет бить, а синяки ваши после вчерашнего надо было лечить бодягой. Я говорю — извините, но я не знаю, что такое бодяга. А вот фамилия Наковальня очень подходит для бокса. Они смеются и говорят — «Наковальня» это не фамилия, хотите еще разок в пару с ней встать?

В паре с Настей оказалось прикольно. Правда, об этом я уже потом узнала, когда видео свое смотрела, потому что там на ринге было не очень прикольно. Настя, видимо, серьезная девушка, занятая, и времени для меня у нее было немного. Наверное, она торопилась куда-нибудь. Короче, пара наша быстро распалась, но на видео ее удар правой смотрелся эффектно. Круче даже, чем мои вскинутые ручонки и подогнутые коленки, и вообще, чем вся жалкая я, скрюченная как запятая, падающая, а потом лежащая там посреди ринга. В принципе, конечно, падала очень смешно, даже Вита, сидя у монитора, несколько раз так радостно тявкнула, что у меня поднялось настроение.

Я ей говорю — нравится? И она снова лает. Я говорю — хочешь еще? Вита от радости даже завертелась. То есть получалось, что она не одну меня любит, но еще и кино.

И я решила сделать для Виты фильм. А раз уж ей так понравился бокс, то и кино должно было стать боксерским. Клинта Иствуда с «Малышкой на миллион» мне, конечно, было не переплюнуть, но свою маленькую темку я вполне могла замутить. Правда, идея самой входить в ринг меня больше как-то не посещала. Никакой бодяги в аптеке не хватит, если так сильно любить кино. И я решила — пусть звездами будут другие. Ну, не получилось у меня — ну, и ладно. В общем, я щедро отдала главную роль Насте по прозвищу Наковальня. Правда, она не сразу узнала, что играет в кино. Она мне потом сказала, что даже и не замечала меня с этим моим фотоаппаратом. Мало ли кто там трется за канатами во время тренировки.

Но я не только на тренировках снимала. Как-то незаметно начала ездить за ней по всей стране. Сама не знаю, как увлеклась. Меня просто завораживали ее движения. Это уже потом критики мне объяснили, что я как бы заново открыла стилистику Лени Рифеншталь. Но тогда я про Лени даже не знала. Мне просто нравилось, как работает Настино тело. Как она выстреливает правой почти без подготовки и как красиво и твердо в этот момент занимают позицию ее ноги. Я все смотрела и смотрела на эти бесчисленные видео, снятые на разных соревнованиях, а потом они как-то взяли и сами собой смонтировались. У меня, если честно, до сих пор такое ощущение, что это не я монтировала весь фильм. Ну, то есть, конечно, не ангелы там, не высшие силы, но совершенно точно — не я. Я бы так не смогла. Ни за что в жизни.

Когда один знакомый случайно у меня этот материал увидел, он сказал — надо на какой-нибудь фестиваль отправить. Я ему говорю — ты смеешься, что ли? А он отвечает — нет, не смеюсь. Ты, Машка, не актриса, ты режиссер. Офигительный режиссер, каких мало.

И вот я теперь стою тут на сцене перед вами, и это настоящий международный кинофестиваль, и у меня целых две золотых статуэтки — за документалистику и за лучший дебют, а я, дура, так и не выяснила — за что мне себя полюбить.

За локти или за коленки?

СЕНТЯБРЬ

Мы снова проживаем у залива,
и проплывают облака над нами,
и современный тарахтит Везувий,
и оседает пыль по переулкам,
и стекла переулков дребезжат.
Когда-нибудь и нас засыпет пепел.
Так я хотел бы в этот бедный час
приехать на окраину в трамвае,
войти в твой дом,
и если через сотни лет
придет отряд раскапывать наш город,
то я хотел бы, чтоб меня нашли
оставшимся навек в твоих объятьях,
засыпанного новою золой.

И. Бродский

— Какого черта ты завез меня в эту глушь?

Ее голос подрагивал от гнева. Скрывать от него свое настроение уже не имело никакого смысла. Всё, что они когда-то скрывали друг от друга, давно стало известно обоим. По крайней мере, она так считала.

Он положил руку на ее затянутую в перчатку ладонь, но она тотчас стряхнула ее, как будто по ней проползло насекомое. Он сделал вид, что рука его совершила свое маленькое путешествие невзначай.

К этому времени почти стемнело. Низкая облачность и мелкий дождь еще больше затрудняли видимость. Машина медленно ползла вверх. Дорога, высвечиваемая фарами, петляла между скал и редких на этой высоте деревьев.

Он попытался рассмотреть в полутьме кабины ее лицо. Знакомые черты приобрели за эти годы новое выражение. Он больше не видел в них детской наивности. Тонкий нос вытянулся и заострился. Рот стал заметно тверже — в уголках его не прятался больше доверчивый интерес к миру, готовый встрепенуться смущенной улыбкой. В ней почти исчезла та растерянная девочка, которую он оставил шесть лет назад с двумя детьми в крошечном городке в восточной части Йоркшира. Рядом с ним сидела красивая, интересно развившаяся, злая женщина. Впрочем, о ее лице он мог судить только в очень общих чертах. Оно было закрыто вуалью до самого подбородка. Время от времени он мог видеть, как блестят ее глаза в отраженном свете фар. Причины этого блеска ему, в общем, были понятны.

— Ты уверен, что знаешь, куда мы едем?

В ее голосе прозвучала тревога.

— Ты же сама сказала — в Галифакс.

— В Галифакс надо было ехать по большой дороге в сторону Лидса, а тебя какой-то черт занес в эти горы.

— Это не горы... — он усмехнулся и покачал головой. — Пеннайнз давно уже никто не называет горами.

— Какая разница, где свернуть себе шею — в Альпах или среди этих холмов. Твоему драндулету хватит ямы в три метра, чтобы мы там горели до самого утра.

Он вынул армейскую зажигалку, щелкнул ею и взглянул на часы.

— Сколько? — обеспокоенно спросила она.

— Половина девятого.

— Я так и думала!

Он промолчал.

Фары выхватывали из темноты бесконечный дикий кустарник. Дорога почти исчезла. Здесь явно никто не ездил долгое время. Груды камней, валявшихся прямо на пути, сильно осложняли движение. Ему то и дело приходилось тормозить, объезжать очередное препятствие, сдавать назад, рискуя свалиться в незамеченный овраг. Они ехали вверх уже больше часа, но подъем никак не заканчивался.

Вскоре пошел сильный дождь. Дорога стала совсем скользкой. Он понял, что заблудился. Шелест дождя снаружи перешел в ровный шум. Звук работающего двигателя больше не успокаивал.

— Мне страшно, Эдди.

— Ничего не бойся, — ответил он и остановил машину.

— Что случилось? — встревоженно спросила она.

— Ничего.

— Как ничего? Мы же встали!

Он промолчал, и в наступившей тишине проливной дождь забарабанил по кожаному верху, как барабан в цирке перед прыжком акробата.

Эдди нагнулся вперед и выключил фары. Машину обступила непроницаемая темнота.

— Что дальше? — спросила она.

— Думаю, надо искать ночлег, — ответил он. — Дальше ехать опасно.

Сами того не заметив, они перешли на шепот.

Открыв дверцу, он выпрыгнул на скользкую глинистую землю, обошел машину и постучал в стекло.

— Выходи.

Затем, не дожидаясь ее, двинулся вверх по склону холма и пропал из вида.

Через несколько секунд она догнала его. Эдди уверенно шагал по хлюпающей жиже, как будто ему было известно, куда идти. Смокинг на нем быстро промок до нитки. Отяжелевшие от воды полы пиджака с неприятным звуком хлопали по бокам. От ветра он попытался поднять воротник, но в этом не было никакого смысла. Вода струилась по лицу, сбегала по шее, просачивалась под шелковую рубашку.

Вдруг он остановился и сжал ее руку.

— Смотри!

— Что?

— Смотри, вон там, чуть левее.

— Что? Я ничего не вижу.

— Иди за мной.

Он двинулся вперед, и она поспешила следом. Скоро из темноты выступило двухэтажное здание. Ни одно окно в нем не было освещено.

— Спят, что ли, уже? — сказал Эдди и направился к входной двери.

— О черт... — услышала она его голос через секунду.

— Что? Что там такое?

— Иди сюда, сама увидишь.

Входной двери не было. Вместо нее зиял черный проем, ведущий в глубь очевидно пустого, давно заброшенного дома. Стекла в рамах были разбиты.

— Я не хочу туда. Там страшно.

— Там сухо, — сказал Эдди и потянул ее за собой.

Пройдя по небольшому коридору до старой скрипучей лестницы, они в нерешительности остановились.

— А вдруг там кто-нибудь есть?

Вместо ответа Эдди начал подниматься.

Наверху они нашли комнату с неразбитым окном и устроились прямо на полу. Мебели в комнате не было. Подсвечивая себе зажигалкой, он собрал обрывки старых газет и постелил их в углу. Усевшись на газеты, они наконец прислонились друг к другу. Эдди почувствовал, как ее сотрясает от озноба.

— Замерзла?

— Сентябрь вообще-то. И платье насквозь мокрое.

— Снимай, мы его выжмем.

— Обойдешься. И так согреюсь.

— Стесняешься, что ли?

— Отстань.

Некоторое время они просидели молча. Снаружи раздавался ровный шум дождя. После того как Эдди убрал зажигалку, в комнате стало абсолютно темно. Обернувшись, он мог видеть только очертания ее головы. От ее мокрых волос исходил почти забытый запах.

— У тебя есть кто-нибудь?

— Не твое дело.

— Разумеется, не мое. С кем ты была сегодня у Нортонов?

— А ты с кем?

Вместо ответа он вздохнул:

— Не знал, что ты у них бываешь.

— Я у них не бываю.

Она отвечала коротко и совсем не задумываясь, но всякий раз переставала дрожать на ту пару секунд, что требовались для ответа.

— Может, пиджак мой наденешь?

— Какой смысл? Он тоже мокрый.

Его глаза постепенно привыкали к темноте.

— Ты меня видишь, Лиз?

— Я не хочу тебя видеть, Эдди.

— А я тебя вижу.

— Слушай, не надо.

— Что не надо?

— Не начинай. Твои попытки меня не интересуют.

Он помолчал.

— Зачем ты села ко мне в машину?

— А куда мне было садиться? Я вышла из дома, рядом с машинами никого, кроме тебя, не было. Да и кто бы повез меня в Галифакс?

— Ну да... — он разочарованно вздохнул. — В такую даль никто не поедет. А тебе с чего туда вдруг? Вечеринка только начиналась.

— Не твое дело.

Помолчав еще с минуту, он тихо засмеялся.

— Ты чего? — насторожилась она.

Он не ответил, но продолжал еле слышно смеяться.

— Что с тобой? Спятил?

— Ты знаешь, Лиз, а ты ведь всегда была мерзлякой.

— Ну и что?

— Ничего... Поэтому ты и мерзнешь.

— Дурак!

— Помнишь, ты каждую ночь не могла заснуть от того, что у тебя были холодные ноги, и я забирался к тебе под одеяло, чтобы ты могла погреться, прижав их к моим. Но ты никогда не лежала спокойно. Ты шевелилась и терла свои пятки об меня, а у тебя очень шершавые пятки. Это было ужасно щекотно, но я терпел.

Он снова негромко засмеялся в темноте.

— А помнишь, однажды ты начала икать от того, что у тебя замерзли ноги...

— Перестань.

— Мы сидели у Картеров, и ты вдруг стала икать. Я попросил старую миссис Картер затопить камин, а она так странно на тебя смотрела. Ты икала не переставая. Я думал, ее удар хватит от твоей бесцеремонности. У нее так смешно поднимались брови...

— Дурак, я чуть не описалась тогда.

— А полковник Картер изо всех сил делал вид, что ничего не происходит. Он упорно продолжал рассказывать о чем-то индийском. Ты икала, а он рассказывал. Невероятная выдержка.

— Об охоте на тигров в штате Пенджаб.

— Ты запомнила?

— Ненавижу с тех пор все, что связано со штатом Пенджаб.

Он почувствовал, что она, пользуясь темнотой, улыбается.

— Ты знаешь, у твоих волос все тот же...

— Тише! — она перебила его так внезапно, что он вздрогнул.

— Ты чего?

— Тише! Слушай!

Она схватила его за руку и замерла, прислушиваясь к чему-то в глубине пустого дома.

— Что? Я ничего не слышу.

— Тише! Вот сейчас!

На мгновение ему показалось, что он улавливает едва слышный звук какого-то движения на лестнице, но через секунду все стихло.

— Это ветер, — прошептал он.

— Нет! Слушай!

Теперь он действительно слышал, что в доме кто-то двигался. Это не были человеческие шаги или голос, или дыхание. Просто время от времени раздавался то шелест газеты, то скрип половиц, то негромко вздыхала потревоженная дверь. Что-то двигалось в доме. Более того, оно приближалось. Эдди и Лиз перестали дышать. Он почувствовал, как ее ногти впились ему в ладонь. Рука ее мгновенно вспотела. Он напряженно всматривался в темный дверной проем. Никакого оружия, кроме булавки на галстуке, у него с собой не было.

— Я умру сейчас, Эдди, — прошептала она.

Неожиданно он понял, что они в комнате уже не одни. В коридоре было слишком темно, чтобы видеть — стоит на пороге кто-нибудь или нет, однако он почувствовал присутствие третьего существа. Чем бы это ни было, двигалось оно почти бесшумно.

По трепету ее руки Эдди догадался, что Лиз тоже ощутила вторжение. Свободной рукой он медленно залез в карман. Стараясь не шелестеть мокрой тканью своего пиджака, вынул зажигалку. Одним пальцем снял колпачок, а затем резко чиркнул. Дрожащее пламя осветило комнату.

Первое, что он испытал, когда загорелся крошечный огонек, было давно забытое детское ощущение. При виде той сцены, которую выхватил из темноты неровный свет зажигалки, к нему мгновенно пришло странное чувство, что все это уже было с ним. Что он вот так же сидел когда-то на газетах в углу пустой комнаты, что рядом была его Лиз, что ей было страшно и холодно, что на нем был промокший смокинг, что в поднятой над головой руке он держал зажигалку, а лицо его Лиз было искажено таким испугом, что ему хотелось взять ее на руки и прижать к себе, как ребенка.

Пламя задрожало в его руке — потом еще раз, еще один раз, и наконец погасло.

— Эдди, — чуть слышно произнесла Элизабет.

— Сейчас, — ответил он и щелкнул зажигалкой снова.

Прямо напротив них в дверном проеме стоял огромный лохматый пес.

— Сенбернар, — сказал Эдди.

— Смешная собака, — сказала Лиз.

Вид у пса был более чем добродушный. Изо рта свисал большой красный язык. Глаза терялись в густой шерсти. Глубоко вздохнув, пес уселся на задние лапы.

— Пойдем, — сказал Эдди, поднимаясь на ноги.

— Куда?

— На нем ошейник. Тут где-то живут люди. Надо было пройти еще чуть-чуть.

Спускаясь по скрипучей лестнице следом за псом, Эдди неожиданно повернулся к Элизабет и спросил:

— У тебя еще бывает состояние дежа-вю?

— А что это?

Дождь, казалось, еще усилился. Когда они подошли к массивному приземистому дому, с них обоих текло ручьями. Пес подбежал к низенькой двери и гулко залаял.

— Думаешь, там еще не спят?

— Это он так думает, — ответил Эдди.

— Лучше бы не спали...

Тяжелая дверь отворилась, и на пороге они увидели пожилую женщину с лампой в руке. Она была одета в простое серое платье и теплую кофту, закрывавшую горло.

— Мистер Гамильтон, — невозмутимо сказала она куда-то в глубь дома. — Вернулся Барри и с ним двое молодых людей в вечерних туалетах — юная леди и джентльмен.

— Они промокли? — спросил невидимый мистер Гамильтон.

— До последней нитки.

— Впустите их, миссис Гаскелл. Я хочу посмотреть.

Пройдя в большую гостиную, они обнаружили пожилого мужчину, сидевшего в кресле напротив камина. На невысоком столике рядом с ним стояла бутылка джина, стакан и коробка с сигарами. В камине горел огонь.

— Барри любит заводить новых друзей. Посмотрим, что ему досталось на этот раз.

Старик надел очки и пристально посмотрел на дрожавших Эдди и Элизабет.

— Миссис Гаскелл, они испортят мой ковер. Проводите их в комнаты Джона и Джейн.

— Там вы найдете всё необходимое, — обратился он к своим ночным посетителям. — Завтра утром, когда прекратится дождь, вы сможете продолжить ваше путешествие.

— Благодарю вас, — кивнул Эдди.

— Скажите, ради Бога, у вас есть телефон? — порывисто спросила Элизабет.

— Да, вон в той комнате.

— Он связан с телефонной станцией в Галифаксе?

— Думаю, что да.

— Ради Бога! — она умоляюще смотрела на седого джентльмена.

— Конечно, прошу вас.

Он сделал ободряющий знак рукой.

Элизабет скрылась в соседней комнате и через минуту вышла оттуда со счастливым лицом. В ее отсутствие Эдди, старик и миссис Гаскелл молча смотрели друг на друга. Неловкости, кроме Эдди, никто не испытывал.

— Решили свои дела? — спросил хозяин дома у Лиз.

— Да, спасибо большое. — Ее лицо сияло, несмотря на усталость.

— Теперь немедленно поднимайтесь наверх и переоденьтесь. Иначе вы насмерть простудитесь в своих бальных нарядах. Спокойной ночи.

— Спокойной ночи, сэр, — хором ответили Элизабет и Эдди.

Проснувшись на следующее утро, она не спешила вставать. Судя по шуму, доносившемуся из-за окна, дождь все еще не прекратился. Комната была небольшая, но уютная. У стены напротив кровати стоял инкрустированный позолотой белый шкаф. Справа от него сквозь решетчатый переплет окна виден был старый дуб. По его уже начавшим желтеть листьям отчаянно молотил дождь. Время от времени сильный порыв ветра сотрясал могучее дерево, и оно вздрагивало, роняя листья и сучья, обдавая окно фонтанами холодных брызг. Элизабет поежилась под толстым пуховым одеялом. Унылое небо просачивалось через переплет окна и ложилось пепельным покрывалом на все предметы в комнате.

Когда она спустилась в гостиную, Эдди был уже там. На нем были чьи-то светлые брюки и темно-зеленый свитер. Мистер Гамильтон сидел в своем кресле на том же месте, что и вчера. В камине все так же горел огонь.

— Вам очень к лицу этот костюм.

Голос у хозяина дома был чуть хрипловат. Вечером Лиз не обратила на это внимания.

— Я нашла его в гардеробе. Мое платье так и не высохло.

— Миссис Гаскелл позаботится о нем. Как, впрочем, и о вещах вашего мужа.

Лиз перевела взгляд на Эдди, но тот уже отвернулся, рассматривая бронзовые статуэтки на каминной полке.

Чтобы скрыть замешательство, она поспешила сменить тему:

— А... чьи это вещи?

— Это вещи моих детей.

— Они живут в Лондоне?

— Нет, они нигде не живут.

Элизабет подняла брови.

— Они оба погибли в самом начале войны. Катались на яхте со своими семьями в венецианской лагуне. Прихоть аристократов.

— О, мистер Гамильтон, мне так жаль, поверьте.

— Да, да, конечно. Говорят, что в тех местах такое редко случалось. Но вот — наткнулись на плавучую мину в проливе. Очевидно, немецкая. Как-то ее туда занесло.

Он замолчал. Элизабет взглянула на Эдди. Тот сокрушенно пожал плечами.

— Я телеграфировал им, что будет война и что лучше вернуться домой. Но, знаете, это было самое начало августа. Мало кто верил, что это серьезно. Молодежь не хотела уезжать из Венеции.

Он снова замолчал, потом поднял голову и посмотрел на Элизабет.

— Вам действительно это очень идет. Не снимайте, пока будете у меня... Дождь, кажется, теперь надолго.

После завтрака хозяин дома надел макинтош, свистнул лежавшему у камина Барри и отправился на прогулку. Эдди и Лиз впервые со вчерашнего вечера остались наедине.

— Может, нам тоже пора? — нетерпеливо спросила Элизабет.

— Сомневаюсь, — неспешно ответил Эдди. — Пока идет дождь, я не рискну вести машину по этим тропинкам. Они слишком крутые.

— Ты же чемпион.

— Ну и что. Склоны размыло. Мы просто сползем в какую-нибудь яму и перевернемся. К чему рисковать?

Он подошел к огромному окну в частом переплете и посмотрел в сад.

— Надо же, как зарядило. Льет и льет без остановки.

Она ничего не ответила.

— Н-да, вот и осень... Ты ездила этим летом купаться?

— Мы продали купальный домик. Больше не ездим к морю.

— Да? — он повернулся к ней. — А что так?

— Ничего. Были причины.

— У вас как с деньгами?

— С деньгами хорошо. Спасибо, что спросил.

Он отошел от окна и сел рядом с ней на старый диванчик.

— Послушай...

— Только давай не будем ничего обсуждать! — резко перебила она.

— Хорошо... Только...

— Что?

— Ничего... Как у Дэнни дела?

Она глубоко вздохнула и откинула со лба прядь темных волос.

— Ему лучше.

— Совсем лучше?

— Да. Он теперь живет с бабушкой в Галифаксе.

— Так вчера это ты к нему помчалась?

Она сдвинула брови.

— Мама позвонила Нортонам. Сказала, что у него, кажется, обострение... Потом, ночью, когда я отсюда звонила, сказала, что все нормально. Обошлось. Он уже спал к тому времени.

Элизабет говорила с явной неохотой.

— Слушай... — начал он.

— Ты знаешь, — опять перебила она. — Давай не будем говорить на эти темы. Давай вообще не будем говорить ни на какие темы. Я не хочу с тобой разговаривать. Ты понимаешь? Не хочу. Мы случайно оказались вместе. Ни ты, ни я ничего ради этого специально не делали. Нелепый случай. Вот и давай переждем его, как пережидают досадную неувязку. Просто оказались вместе. Никто не виноват. Незнакомые люди.

Она порывисто встала с дивана и отошла к окну.

— Элизабет...

— И не надо мне ничего говорить!

Она не обернулась, но он услышал, что она готова заплакать.

В эту минуту в прихожей хлопнула дверь, застучали собачьи лапы, и свежий после прогулки на осеннем воздухе голос мистера Гамильтона прозвучал почти без хрипотцы:

— Дождь, кажется, затихает. Хотите, я покажу вам окрестности?

— С удовольствием! — Эдди поспешно поднялся с дивана.

— Спасибо, я лучше побуду в комнате, — пробормотала Элизабет, устремляясь к лестнице мимо хозяина и отворачивая от него лицо.

Погода действительно начинала меняться к лучшему. Выйдя из дома, Эдди раскрыл большой позаимствованный у миссис Гаскелл зонт, однако настоящий дождь уже кончился. В воздухе еще висела пелена рассеянной влаги, мельчайшими каплями мгновенно оседавшей на волосы, лицо и одежду, но дождем это уже назвать было нельзя.

— Как только перестанет моросить, сможете собираться.

Мистер Гамильтон шел, опираясь на тяжелую палку.

— Доктора велят больше ходить. И Барри любит эти прогулки.

Сенбернар огромными скачками умчался вперед по тропинке, ведущей к вершине холма.

— Чувствуете, как пахнет прелым листом? Это хороший запах. Я люблю осень. Всякий раз думаю — ну вот, еще одно лето пережил. Не хочу, знаете ли, умирать летом. Зима гораздо опрятнее.

Он обернулся и посмотрел на свой дом, который теперь был прямо под ними.

— А вы знаете, дорогой мистер Беннетт, что именно по этим холмам проходила граница между владениями Ланкастеров и Йорков?

Эдди неопределенно пожал плечами.

— Да-да, и во время войны Алой и Белой розы здесь происходили жестокие сражения. Один из моих предков получил рыцарский титул за то, что спас будущего короля после битвы при Уэйкфилде.

— Впечатляет. А за кого он был?

— Простите?

— За какую розу?

Старик улыбнулся и покачал головой.

— Разве это имеет значение?

Они поднялись на вершину. В тусклом свете перед ними расстилалась неширокая долина. По дну ее змеился ручей. На склонах холмов тут и там лепились убогие домики. Порывами налетал холодный ветер.

— Покричите Барри, молодой человек. Пора возвращаться домой. Я вижу, вы совсем продрогли.

Пока Эдди гонялся за сенбернаром, старик присел на скамеечку, вкопанную возле выложенного камнями источника.

— Хорошо вот так посидеть. Ноги устают очень быстро. Сколько вам лет?

— Тридцать один.

— Чудесный возраст. А вашей жене?

Эдди помедлил с ответом.

— Мы вообще-то не совсем женаты.

— Это заметно. Так сколько ей лет?

— Я уже не помню.

— Чудесная женщина.

— О да! — пожалуй, несколько горячо согласился Эдди.

— Что, были влюблены?

Взгляд мистера Гамильтона испытующе остановился на нем.

— Честно сказать, да.

— И почему не сложилось?

— Не знаю. Так как-то... Всё вместе.

— Жаль. Она удивительная женщина. Прямая и сильная. Вам больше не встретить такой, поверьте.

— Да-да, я знаю.

Эдди отвернулся и смотрел вниз в сторону ручья. Сенбернар уселся рядом с хозяином. Порывы ветра приподнимали его огромные уши, ерошили пятнистый мех на спине.

— Так, значит, дело было не в ней?

— Нет, — Эдди вынул сигарету и попытался ее зажечь. — Просто я не удержался в седле.

— Что, простите?

— Я оказался не тем, кто ей был нужен.

— И она бросила вас.

— Нет, я бросил ее.

— Интересная логика.

Барри задрал голову и два раза гулко пролаял.

— Терпение, малыш. Ты мешаешь нам разговаривать. Так вы говорите, что оставили ее?

— Да, так получилось.

— И что было причиной?

Эдди по-прежнему не смотрел на старого джентльмена. Бросив незажженную сигарету на землю, он отошел к самому краю площадки, поднял воротник плаща и засунул руки в карманы.

— Я слишком любил ее.

— Ваша логика становится все более и более любопытной.

— Дело в том, что я автогонщик.

— Вот как? Всё же не могу сказать, что это многое проясняет.

— Мне и самому не совсем понятно, как это с нами случилось.

По лицу мистера Гамильтона было видно, насколько живо он заинтересован.

— Другая женщина?

Эдди усмехнулся и пожал плечами.

— Женщина? Может быть. Но я бы не сказал, что она была главной причиной.

— Что же в таком случае?

Эдди помолчал, потом очевидно решился и заговорил бесцветным глухим голосом:

— Когда мы поженились, у меня уже был сын Дэнни. Так получилось. Элизабет сразу полюбила его, тем более что он был совсем кроха. Она была от него без ума. Наряжала его как куклу, часами носила его на руках, сама придумывала для него песни. Потом он заболел. Вначале легкая сыпь, затем какие-то волдыри. Врачи понятия не имели, что это такое. Вскоре он весь был покрыт сплошной зеленой коркой. Маленький годовалый мальчик, покрытый коркой с ног до головы. Он был весь мокрый. Из трещин всегда что-то сочилось. Человеческого в нем оставалось только глаза. Разговаривать он еще не умел, но глаза у него были очень взрослые. Иногда мне казалось, он понимает, в какую передрягу попал. Просто сказать не может...

Эдди на мгновение замолчал.

— К тому же вся эта штука страшно чесалась. Он раздирал себе кулачками лицо в кровь. Тёр глаза, пока не протирал до мяса, а мы сидели рядом и дули на него, чтобы ему было полегче. Дули потому, что не знали, что еще можно для него сделать. Никто вообще ничего не знал. Лиз дула ему на лицо и плакала. Она даже слез своих не вытирала, потому что уже бесполезно. Нам было так его жаль.

Эдди опять замолчал на мгновение.

— Потом он перестал держать голову. Просто склонил ее на плечо и не поднимал больше. Когда мы переворачивали его на живот, он утыкался лицом в простыню, и после этого на ней оставался желтый след размером с лицо годовалого младенца. Врачи нам сказали, что он, наверное, умрет. Тогда я пошел в церковь и сказал, что я от всего отказываюсь. Что мне не нужен мой талант, успех, счастье, вообще — ничего, пускай только мальчик будет живой...

Эдди помолчал и вынул новую сигарету.

— В общем, он выздоровел.

— Вы верите в Бога? — спросил мистер Гамильтон.

— Нет. Я даже не знаю, как нужно молиться.

Заскучавший от долгого сидения на одном месте Барри убежал вниз по склону холма. Ни Эдди, ни мистер Гамильтон не обратили на него внимания. Дождь совсем прекратился. Кое-где среди туч проглядывали островки чистого неба.

— Ну, а потом у меня перестало получаться. На гонках я приходил то последним, то предпоследним, хотя до этого обычно выигрывал. В конце концов они отказались заявлять меня на официальные заезды. Осенью десятого года восемь машин отправили на Гранд Тур в Америку, а я остался в гараже. Элизабет я об этом как-то сказать не смог, поэтому ночевал у друзей, которых она не знала. Потом кто-то познакомил меня с одной француженкой. У нее был свой ресторан... Жить мне все равно было негде. По крайней мере, экономил на еде. Надо было заработать что-нибудь на подарки из Америки.

Эдди усмехнулся.

— У нее была ужасная привычка хрустеть пальцами, когда она пересчитывала деньги. Но я не жаловался — она давала мне на расходы. Эти деньги потом пригодились.

Он бросил на землю вторую сигарету, так и не сумев ее прикурить. Дул сильный ветер.

— Когда они приплыли из Америки, я вернулся домой. Часами рассказывал, как кормил чаек на палубе парохода. Лиз все время расспрашивала про шторм. Нью-Йорк ее интересовал меньше. Насчет гонок я уже не мог ей соврать, что победил. Приз тогда взял Смит из Бридлингтона. В конце концов, главное, что приз достался нам, а не американцам. Хотя, конечно, Смит не гонщик. Я всегда обходил его как минимум на три корпуса... Ну, то есть до этого...

Он наконец отошел от края площадки и уселся на скамейку рядом с мистером Гамильтоном.

— Что, было обидно?

Эдди помолчал, нахмурив лоб, потом негромко ответил:

— Вы даже не представляете как.

Барри вернулся к своему хозяину. После беготни по склонам холма он тяжело дышал. Из огромной розовой пасти валил пар. К бокам пристали пурпурные шарики репейника.

— Элизабет начала подшучивать надо мной. Она привыкла к тому, что я был всегда первым. Ей казалось немного забавным мое поражение. Не скажу, что это сводило меня с ума, но вскоре просто отшучиваться я уже не мог... Иногда срывался.

Он помолчал.

— Потом она родила, и у нас вроде все снова пошло на лад. Я успокоился. Выходил на трассу только в квалификационных заездах. Мне стало как-то всё равно. Гуляли с детьми, летом ездили в Скарборо — им нравилось море. Я, в общем, снова был счастлив.

Он достал третью сигарету, прикрылся ладонью, ловко чиркнул своей зажигалкой и, наконец, прикурил.

— Но тут вдруг опять подвернулась эта француженка, — сказал он, выпуская дым. — Прямо на пляже в Скарборо. Потом заявилась ко мне в гараж. Требовала, чтобы я к ней вернулся. Требовала свои деньги. Грозилась превратить жизнь Элизабет в ад. Я не мог этого допустить. Я понимал, что должен, наконец, расплатиться. Счастье мне было заказано. Я сам предложил его в обмен на Дэнни.

— И вы ушли?

— Да, собрал вещи и ушел.

— А что сказали жене?

— Ничего. Она до сих пор понятия не имеет, почему так случилось.

— А француженка?

— Что — француженка?

— Она успокоилась?

— Не знаю. Я сразу уехал в Италию. Все равно я здесь уже никому был не нужен. Гонки для меня к тому времени были закрыты.

— Жалеете о том, что случилось?

— Не знаю, — он пожал плечами. — С Дэнни теперь вроде бы все нормально.

Мистер Гамильтон встал со скамьи.

— А вам никогда не приходило в голову, что все это лишь плод вашего суеверия? Либо элементарное совпадение. Вы суеверный человек? Я слышал, что многие спортсмены суеверны.

Вместо ответа Эдди склонился вперед и стряхнул со своих брюк приставший репейник.

Мистер Гамильтон улыбнулся и потрепал своего пса.

— Ну что, малыш, пора домой. Гостям надо собираться в дорогу.

Обратно ехали молча. Элизабет напряженно сидела у самой дверцы, отодвинувшись от бывшего мужа как можно дальше. Эдди хмурился и безостановочно курил. Несколько раз она порывалась что-то сказать, но, повернувшись к нему, всякий раз отказывалась от своего намерения. Погода стояла великолепная. Ничто не напоминало о вчерашнем ненастье.

Когда они въехали в Галифакс, Элизабет, наконец, заговорила. Она говорила сбивчиво, торопливо и непонятно.

— Странно все-таки, что мы с тобой встретились. Я уж никак не думала. Совсем и не хотела ехать к Нортонам. Мама настояла. Они прислали ей приглашение на двоих, но она сказала, что посидит с детьми, что мне надо развеяться, а у меня платья никакого подходящего не было. Пришлось второпях покупать вот это. Ужасное, да? Хорошо еще, что с Дэнни ничего не случилось. Я так разнервничалась. В последнее время со мной бывает. Ты, вообще, часто нервничаешь? Удивительный человек этот мистер Гамильтон, правда? За окном моей спальни был такой старый дуб. Помнишь, мы ездили в Скарборо на пикник? Там было очень похожее дерево. Вот здесь останови машину, пожалуйста. Мы приехали.

Элизабет замолчала так же внезапно, как и заговорила.

— Я не знал, что у тебя мама в сентябре родилась, — сказал Эдди после долгой паузы, во время которой они продолжали неподвижно сидеть в остановившейся машине. — Почему-то думал — весной.

— Нет, в сентябре... А как ты догадался?

— Нортоны рассылают приглашения только тем, кто родился в сентябре.

— Да? Я не знала.

— Этот прием каждый год проводится 10 сентября. Что-то связанное с открытием их фабрики в прошлом веке. Точно не помню когда — кажется, сразу после Крымской кампании... Но в сентябре... Их прадед фабрику построил.

— Вот, значит, из-за чего мы с тобой встретились, — вздохнула Элизабет.

— Да, из-за фабрики деревянных башмаков, — улыбнулся Эдди. — И потому что мы с твоей мамой родились в сентябре.

— А они наугад рассылают эти приглашения?

— Думаю, да. Я уже был у них три года назад.

— Забавно. Маму до этого ни разу не приглашали. Странное совпадение.

— Да, шанс был небольшой. Представляю, сколько людей на востоке Йоркшира родилось в сентябре.

Они помолчали.

— Ты куда теперь? — спросила Лиз, ненужно поправляя шляпку.

— Я? Поеду домой. Теперь живу в Беверли. Чудное место. И дороги очень хорошие.

— Да, да, — она заинтересованно покивала, и они опять замолчали.

— Ты знаешь... — сказал Эдди.

— Да, мне пора.

Лиз выбралась из машины.

— У тебя красивый автомобиль.

— Спасибо.

— Увидимся как-нибудь?

— Наверное.

— Ну ладно, мне пора, — она сделала неопределенный жест в сторону дома.

— Да, всего хорошего.

Он запустил двигатель. Элизабет по-прежнему стояла на тротуаре. Он махнул ей рукой и тронулся с места.

— Эдди! — крикнула Элизабет.

Он заглушил двигатель и открыл дверцу.

— У тебя с правой стороны переднее стекло в углу треснуло. Я еще вчера хотела сказать.

— Спасибо, я знаю. Потом заменю.

— Счастливо тебе.

— До свидания.

Он хлопнул дверцей, снова завел мотор и вскоре скрылся за поворотом. Элизабет еще немного постояла на тротуаре, затем усталым жестом сняла шляпку с вуалью, прошла по неровной дорожке между розовых кустов и постучала в дверь.

ХОМА*

Все началось с бессонницы. Вернее, с того, из-за чего Виктор теперь боялся ложиться спать. Ему снилось, что его бросают в прозрачную воду со связанными за спиной руками, а потом выпускают туда змею, которая, изгибаясь, подплывает к его голове и заползает ему в ухо. Ему снилось, что у него вываливаются зубы, и он собирает их с пола, но они крошатся, как сухая известь, в его руках. Ему снилась его бабушка, которая давно умерла, но теперь она приходила к нему живая, и у нее не было на пальцах ногтей. Ему снилось, что он проснулся, но не может встать, потому что лежит в гробу, и гроб этот закопан глубоко в землю.

Ночные кошмары превратили жизнь Виктора в ад. Каждый день он с содроганием ждал приближения вечера и со страхом прислушивался к тому, как его сердце начинало биться сильней, едва у него в голове отдаленной тенью проносилась мысль о том, что скоро надо будет ложиться спать.

---

* Впервые рассказ «Хома» был опубликован в журнале «Афиша. Все развлечения Петербурга» № 70 от 2 февраля 2006 года. За восемь лет до начала боевых действий в Украине.

Поэтому он отнюдь не воспринял это как шутку, когда получил на свой мобильный телефон сообщение: «Ну как? Нормально спишь по ночам?»

Задремывая в кресле часам к пяти утра, Виктор теперь стал отключать мобильный телефон, потому что кто-то продолжал присылать ему странные сообщения. Вначале он думал, что это дурачится кто-то из коллег по валютному отделу, но потом все же решил, что это было им ни к чему. Тем более что он возглавил этот отдел всего месяц назад. Врагов за такой срок не наживают.

Их наживают гораздо быстрей.

— Сколько вы проработали у нас в банке? — спросил он системного администратора сети.

— Ровно одну неделю.

— Больше вы у нас не работаете.

Потому что сообщения, которые раньше кто-то присылал ему на мобильный, теперь стали приходить на его электронную почту. Прямо в банк. На адрес, известный только ему, нескольким клиентам в Швейцарии и системному администратору.

Швейцарцы отпадали, потому что по-русски просто не умели писать, следовательно, оставался программист. И сам Виктор. Если он сошел с ума и сам отправлял себе эти письма.

Как человек рациональный, он понимал, что эту возможность тоже нельзя полностью исключать, однако предпочел начать с программиста.

— Всего доброго, — сказал он, закрывая дверь и изо всех сил стараясь не услышать слова «козел».

Однако письма на электронную почту приходить не перестали. Наоборот — их стало больше, и они сделались гораздо злей.

Психиатр сказал Виктору, что он абсолютно нормален, и тогда он решил найти программиста, которого уволил неделю назад. Парня надо было напугать. Иначе это могло продолжаться бесконечно.

Потому что Виктор не мог просто взять и закрыть этот электронный адрес. Пришлось бы остановить операции, о которых ни ФСБ, ни налоговым ведомствам лучше было не знать. Тем более что клиенты из Швейцарии помогали отмывать деньги не только для директора банка. У Виктора в этих операциях тоже был свой интерес. Сколько бы он прожил, если бы директор узнал о его личной заинтересованности, — вопрос был сугубо риторический. И он это понимал.

— Это ежу понятно, — сказал программист, когда Виктор обрисовал ему, что он с ним сделает, если тот не перестанет присылать ему свои идиотские письма. — Только я их не присылал. Их вообще никто не отправлял. Они ниоткуда.

— Как это?

— Да вот так. Нет отправителя. Думаете, я не проверял? Или мне по приколу — просто так потерять работу? Даже самые крутые хакеры сказали, что этого не может быть.

— Чего?!!

— Ваших писем.

Виктор вздрогнул и молча уставился программисту в лицо.

— Почему? — наконец сказал он.

— Да потому что нельзя получить то, что ниоткуда не отправляли.

— В каком смысле?

— В самом прямом. У ваших писем нет исходной точки. Они ниоткуда. Я отследил в обратном порядке все сервера, но каждый раз цепочка обрывалась. Как будто компьютера, с которого отправляют все эти письма, просто-напросто не существует. Как будто их кто-то придумал, а потом мысленно отправил в Сеть. Они не оставляют первоначального следа.

— Но где-то же они в Сеть проникают!

— Проникают. Но без серверов. Они всегда возникают из ниоткуда.

Виктор сам не знал — почему, но в итоге он программисту поверил. Правда, кошмары по ночам стали еще ярче. И писем приходить стало значительно больше.

Все его сны теперь сводились к одному и тому же. Какие бы ужасы ни приходили к нему по ночам, каждое видение почти всегда заканчивалось лицом девушки. Черты этого лица ускользали от Виктора, потому что всякий раз он видел его в самом конце, за доли секунды до пробуждения, но он твердо был уверен в том, что это было одно и то же лицо. Присутствие девушки в его снах было настолько реальным, что, открывая глаза, он с трудом прогонял от себя ощущение, как будто он только что слышал ее печальный вздох вон там за портьерой возле шкафа в самом темном углу.

Днем он пытался понять, почему это лицо так волнует его и кажется ему неуловимо знакомым, но после множества бесплодных попыток вспомнить — где он мог видеть свою ночную гостью, Виктор давал себе слово не думать о ней, заваливал себя работой, старался все время быть рядом с людьми и через полчаса снова возвращался мыслями к ней.

Так продолжалось до тех пор, пока он не получил совершенно особенное письмо на свой электронный адрес. Его зловещий корреспондент сообщал, что ему все известно. Что он знает о тайных финансовых операциях, которые Виктор проводит для директора банка, и что скоро наступит время держать ответ.

— Какой ответ? — сказал ему директор и засмеялся. — Ты, милый, не понимаешь, что в случае чего отвечать будешь ты. Один только ты. Потому что вся эта байда с нелегальными операциями — только твоих рук дело. Ты думал, что валютный отдел получил просто так? Смешной ты. И попробуй где-нибудь упомянуть меня. Понимаешь, что с тобой будет?

Виктор понимал. Он молча смотрел на директора и не мог двинуться с места. Однако его поразили не столько слова босса, сколько то, что происходило с его лицом. Под глазами у директора неожиданно проступили темные круги, щеки ввалились, кожа приобрела зеленоватый оттенок, а нос вдруг как будто совсем исчез, и на Виктора смотрело уже не лицо, а череп.

— Ты чего? — совершенно другим голосом спросил директор. — Что ты на меня так уставился?

— Ничего, — выдавил из себя Виктор. — Просто... у вас что-то с лицом.

— Иди, работай, умник. И держи в башке то, что я тебе тут сказал.

Выходя из кабинета, Виктор обернулся, и директор снова поднял голову от бумаг. Лицо у него было совершенно нормальным.

— Нет, я же говорил вам, что с психикой у вас все в порядке, — сказал врач, записывая что-то в свой толстый журнал. — Можете не беспокоиться. Галлюцинации у вас, скорее всего, от переутомления. Надо вам отдохнуть. Давно были на курорте? Возьмите отпуск и поезжайте куда-нибудь на юг. Я раньше обычно ездил на Украину. Чудесные там места. Не бывали?

Но Виктору было совсем не до украинских чудес. Через два дня после визита к врачу он получил новое сообщение. На этот раз оно было еще страшней.

«Сходил к директору? Ну и дурак. Потому что я знаю, что ты воруешь не только для него. Хочешь, я напишу ему — сколько ты у него украл денег?»

Виктор долго смотрел на белый экран монитора, потом протянул руку и впервые подвел курсор к слову «Ответить».

Он написал только два слова.

«Кто ты?»

Через минуту компьютер издал звук, сигнализирующий о новом сообщении.

«Тот, кто тебе нужен».

Виктор посидел еще и потом медленно написал: «Зачем?»

Ответ пришел почти сразу.

«Ты знаешь».

И еще через несколько секунд: «У памятника Гоголю за почтамтом. В два часа».

Виктор откинулся в кресле и закрыл глаза. Ему не хотелось ни о чем думать. Просидев так пять минут, он потянулся наконец, чтобы выключить компьютер, но в этот момент на экран выскочило еще одно письмо.

«А как тебе лицо твоего директора?»

На Арбатской площади было шумно. Оставив машину недалеко от метро, Виктор почти бегом направился к почтамту. Сердце его колотилось как бешеное. Часы возле кинотеатра показывали без пяти два. Сделав шаг с тротуара, он хотел перебежать дорогу, чтобы не терять времени в переходе, но в это мгновение откуда-то сзади раздался крик:

— Стой! Не ходи туда!

Он резко остановился, и мимо него, буквально в двадцати сантиметрах, пронесся тяжелый грузовик. Хватая ртом воздух, Виктор в ужасе отпрянул назад, но огромный «КамАЗ» уже скрылся за поворотом. Виктор сделал еще шаг назад, замер и потом медленно повернулся. Рядом с табачной палаткой молодая женщина склонилась над малышом, который забрел в самую середину большой лужи и радостно топал ногой.

— Кому говорю, не смей больше туда ходить! — сказала она и потянула малыша за руку.

Виктор стоял на месте и продолжал смотреть на женщину и ребенка. Выведя малыша из лужи, она присела перед ним на корточки и стала что-то шептать ему на ухо. Виктор, сам не понимая почему, не мог оторвать от них взгляда. Наконец женщина, продолжая сидеть на корточках, медленно повернула голову и посмотрела прямо на него. Виктор встретился с ней глазами, и по спине у него пробежал холод. Женщина, улыбаясь, смотрела на него и гладила по голове ребенка.

У нее было лицо той девушки, которая приходила к нему по ночам.

* * *

На следующий день он получил новое сообщение.

«Ну как?»

«У памятника никого не было», — ответил он.

«Я не об этом».

«Нам нужно встретиться. Я больше так не могу».

Еще через два дня ему прислали новый адрес. Теперь надо было ехать в Воронеж.

— Ты что, с ума сошел? — сказал директор. — У нас сейчас самый ответственный момент. Нужно успеть до пятницы перевести в Швейцарию еще пять миллионов.

— Я не знаю.

— Что ты не знаешь? Насчет Швейцарии? Будешь выпендриваться — закрою тебя.

Но Виктор не знал совсем другого. Он не знал — сошел ли он с ума.

В Воронеже к нему на встречу снова никто не пришел. В письме ему сообщили, что он должен ждать невысокого полного мужчину лет сорока пяти, но он целый час озирался на центральной площади города в смутном страхе увидеть в потоке людей лицо своей ночной гостьи. Ни девушка, ни мужчина на площади не появились.

То же самое произошло в Иваново и потом в Йошкар-Оле.

С каждым новым письмом и с каждой новой поездкой в нем росла уверенность, что он просто сходит с ума. Иногда ему казалось, что все это — очередной кошмар, от которого он никак не может очнуться, заснув под самое утро в своем кресле, вздрагивая от любого шороха, но все же не находя в себе сил вырваться из паутины нелепого и ужасного сна.

— Мне нужен один билет до Киева, — сказал он, наклоняясь к окошку кассы. — На самый ближайший рейс.

— Ближайший улетает через полтора часа.

— Мне подходит. Сколько с меня?

Девушка за стеклом перевела взгляд на монитор своего компьютера.

— Извините. На сегодня билетов уже нет.

— Нет? — Виктор нахмурился. — Ну, тогда давайте на завтра. Во сколько улетает первый?

— В 10.45.

— Хорошо. Давайте на этот.

Девушка снова посмотрела на свой компьютер.

— Извините, на этот рейс тоже, к сожалению, билетов нет.

— Да что за чертовщина! А на какой есть? Может, вы сразу скажете мне — на какой ближайший рейс до Киева у вас есть билеты?

Она посмотрела на монитор.

— Послезавтра, в 14.25.

— Послезавтра? — Виктор не смог скрыть своего раздражения. — Хорошо, сколько с меня?

Она назвала сумму, взяла у него паспорт и начала набивать его данные в свой компьютер.

Виктор вынул из кармана портмоне и стал пересчитывать деньги. Внезапно по спине у него побежали мурашки. Он буквально физически ощутил, что на него кто-то пристально смотрит. Стараясь делать это незаметно, он краем глаза оглядел аэровокзал, но ничего подозрительного не увидел. Облегченно вздохнув, он перевел взгляд на девушку за стеклом кассы и вздрогнул от неожиданности.

Вместо того чтобы печатать на своем компьютере, она сидела абсолютно неподвижно, вытянувшись как струна, и огромными воспаленными глазами смотрела ему прямо в лицо.

— Не надо лететь на этом самолете, — сказала она глухим голосом, совсем не таким, каким разговаривала с ним минуту назад. — У Николая Ивановича родился сын. Все погибнут.

Виктор в ужасе отшатнулся от окошка кассы, не понимая еще до конца причины своего страха, но уже внутренне приняв его как должное, и приготовившись делать то, что ему велят.

— Ну, вы берете билет, мужчина? — уже совершенно нормальным голосом сказала девушка. — Или так и будете там стоять?

— Нет, нет, — заторопился Виктор. — Я лучше поездом. Извините, что побеспокоил вас.

По поводу слуховых галлюцинаций врач сказал ему, что они также являются следствием переутомления. Поэтому Виктор прав, что решил съездить на Украину.

— Я же вам говорил — там лучший отдых. И очень хорошо, что поездом. Самолеты в последнее время, сами знаете... не того...

В поезде действительно было лучше. Еще только убирая чемодан на самую верхнюю полку, Виктор каким-то шестым чувством понял, что этой ночью он сможет уснуть. Ляжет, закроет глаза и тут же погрузится в сон. Без кошмаров.

Ему самому было непонятно — откуда он это знал, но он был в этом твердо уверен.

Единственное, что раздражало его в купе — это непонятный попутчик. Постоянно поглаживая длинную бороду, он не сводил с Виктора глаз. Следил из своего угла возле столика за каждым его движением.

— А вы меня не помните? — наконец заговорил он. — А то я все жду, когда вы сами со мной заговорите.

Виктор внимательно посмотрел на человека с бородой.

— Нет, я вас не помню.

— Странно. А мы ведь с вами вместе учились.

— Где?

Виктор перестал расстилать постель и повернулся к попутчику.

— В семинарии. Четыре года назад.

— Где?!!

— В Киевской семинарии. Вас ведь зовут Фома? Хотя в миру у вас, наверное, было другое имя.

— В каком еще миру? Меня зовут Виктор. И четыре года назад я ни в какой семинарии не учился.

Попутчик закашлялся и затряс головой.

— Простите. Наверное, я ошибся. Но сходство невероятное. Вы даже головой делаете точно так же. Вот видите? Вот опять. Как будто у вас затекла шея.

— Может, я лучше перейду в другое купе?

— Нет, нет, что вы. Извините меня. Я обещаю вам, что больше надоедать не буду.

Однако, забравшись к себе на полку и с удовольствием закрыв глаза, Виктор чувствовал, что странный попутчик продолжает на него смотреть. Впрочем, стук колес и плавное покачивание вагона скоро сделали свое дело. Перед тем как уснуть, Виктор еще успел задуматься о том, какая может быть связь между тремя городами, куда его заставили съездить нелепые письма, но вскоре мысли его спутались, и он провалился в первый за несколько недель по-настоящему глубокий сон.

Наутро он обнаружил, что его попутчик исчез.

«Вот и хорошо, — подумал он. — Сумасшедший какой-то».

В Киеве он снял номер в той гостинице, где ему было указано, и стал ждать.

Через два дня, потеряв надежду, Виктор решил, что его опять обманули. К полудню он начал укладывать чемодан. Выходя из номера, он подошел к телевизору, чтобы выключить его из сети. Он протянул руку к выключателю, но вдруг замер, уставившись на экран. В хронике новостей мелькали кадры с места крушения самолета. Дымящиеся остатки фюзеляжа, вещи пассажиров, солдаты. Какой-то чиновник в яркой куртке с капюшоном давал интервью. Виктор прибавил звук. С трудом разбирая украинскую речь, он все же уловил, что причиной авиакатастрофы, скорее всего, послужила ошибка пилота, у которого за день до вылета родился сын. Пилот обманул комиссию и явился на борт в состоянии тяжелой похмельной интоксикации. Рейс был из Москвы.

Виктор бессильно опустился на стул. Он понял, что теперь никуда не уедет.

Вечером, проверяя почту в своем ноутбуке, он обнаружил новое письмо. Оно было коротким.

«Смотрел телевизор?»

Вместо ответа он напечатал: «Куда теперь?»

В Полтаве он открыл компьютер прямо на вокзале. Положив на столик в кафе мобильный телефон, Виктор вошел в Сеть. В новом письме ему указывали небольшой районный центр, до которого надо было добираться на электричке. Чемодан он решил оставить в камере хранения. С ним оставалась лишь сумка, в которой лежал компьютер, и телефон.

Сойдя с пригородного поезда, он снова проверил почту и отправился на поиски автовокзала.

Автобус был старый и почти пустой.

Деревня, где он вышел уже под вечер, состояла буквально из нескольких хат.

«Найди кума Миколу. Он знает — куда везти».

— Да не поеду я никуда, — сказал Виктору огромный мужик, разгребавший вилами сено у себя во дворе. — Ночь уже совсем. И «жигуль» у меня сломавси. Ишь, чё удумали! На ночь глядя — в такие места. Туда и днем-то не всякая дитина заскочит. А воны куда тильки не бегають.

— Микола, это шо у тоби там за кацап? — раздался с крыльца женский голос.

— А ну, подь в хату! — крикнул Микола в сгущающуюся темноту. — От, баба дура!

— Никуды не поедешь! — крикнула в ответ женщина с крыльца.

— Звиняйте, — сказал Виктору Микола, снова подхватывая вилами целую копну.

— Но вы мне скажите хотя бы — в какую сторону надо идти?

— А ни в какую не надо. Не треба вам никуда ходить. Оставайтесь у нас. Жинка варениками угостит.

— А завтра вы меня отвезете?

— И завтра не отвезу.

— Но мне очень надо.

— От, чудак-человек. Говорят ему — не надо, а он заладил «надо мне, надо».

— Я вам хорошо заплачу.

— Та на шо мне твои деньги, если...

Микола вдруг замолчал и стал еще усерднее налегать на вилы. Оба молчали минуты две.

— Значит, не отвезете? — наконец заговорил Виктор.

— Не отвезу.

— Хорошо. Тогда все равно — скажите, в какую сторону?

Не поднимая головы, Микола показал вилами на лес. Виктор посмотрел туда и сказал:

— Вот по этой дороге?

Микола продолжал молча метать стог.

— Спасибо. А когда завтра автобус уходит в райцентр?

Микола что-то пробурчал, и Виктор понял, что от него уже ничего не добьешься.

Отойдя по дороге, он обернулся и увидел, что Микола, выпрямившись, смотрит ему вслед. Рядом с ним стояла его жена. Они оба продолжали смотреть в его сторону до тех пор, пока он не дошел до леса и темнота окончательно не поглотила его.

Примерно в одиннадцать Виктор понял, что заблудился. Дорогу он давно потерял. Вернее, она сама исчезла у него под ногами. Превратившись сначала в тропинку, очень скоро она стала как-то непонятно петлять и наконец совсем растворилась. Кругом был глухой лес, непроницаемая темнота и ночные шорохи. Издалека доносились раскаты грома. Где-то начиналась гроза.

Виктор сел под деревом, оперся спиной на ствол и вынул из сумки компьютер. Ему очень хотелось верить, что телефон будет работать в такой глуши. Матовое мерцание монитора немного его успокоило. В почтовом ящике было письмо.

«Оглянись», — прочитал он и почувствовал, как у него по спине побежали мурашки.

Виктор медленно повернул голову и увидел светящиеся огоньки. Это были окна. Он мог поклясться, что минуту назад их там не было.

Как зачарованный он несколько мгновений смотрел на ярко освещенные окна, потом повернул голову к компьютеру и увидел еще одно письмо.

«Заходи», — прочитал он.

Когда дверь открылась, он замер и не мог сделать больше ни одного шага. Перед ним стояла ночная гостья из его снов.

* * *

Они смотрели друг на друга целую вечность. В голове Виктора бурей проносились обрывки его ночных кошмаров. Лес вокруг как будто стал вдруг еще темней и подступил к самому дому. Залитая светом комната за спиной девушки закачалась, и Виктор подумал, что все это — и лес, и одинокий домик, и девушка, стоявшая напротив него, — сейчас закружится вихрем и взовьется к ночному небу, унося его нелепое, беспомощное тело с собой.

Он почувствовал, как ноги у него подгибаются от слабости и отказываются держать его. Он уже ничего больше не понимал.

В это мгновение дверь перед ним неожиданно захлопнулась. Виктор снова оказался в темноте.

Он знал, что мог теперь просто уйти оттуда, но в то же время отчетливо понимал, что никуда не уйдет. За дверью лежала разгадка. Все его страхи гнездились там.

— Чего колотишь, как сумасшедший? — открывая дверь, закричала на него какая-то старуха. — Шляются по ночам, грибники чертовы! Нажрутся грибов — покоя от них нет!

— А где девушка? — выдохнул Виктор, чувствуя, как сердце у него колотится все быстрей.

— Совсем сдурел! Девушек ему подавай! А ну, пошел вон отсюда! Сейчас собаку спущу!

— Подождите! — Виктор резко уперся рукой в дверь, которая уже начала закрываться, а потом, оттолкнув старуху, сделал шаг внутрь.

Не обращая внимания на ее крики, он быстро заглянул во все комнаты, но девушки нигде не нашел.

— Спряталась, — сказал он растерянно и опустился на табурет.

— Да ты вправду умом тронутый, — сказала старуха. — Откуда тут девушки? Ты сам сюда как попал?

— Что? — сказал Виктор, с трудом соображая.

— Откуда ты взялся?

Виктор потряс головой и сжал виски руками.

— Я из банка... Валютный отдел...

— Не знаю я никаких отделов. Сам видишь — девушек здесь нет. Так что, давай, собирайся.

Виктор продолжал молча сидеть на табурете.

— Чего расселся? Иди откуда пришел.

— Я не могу, — наконец медленно сказал Виктор.

— Как это — не могу? Ноги, что ли, у тебя отвалились?

— Мне надо ее найти. Скажите — где она прячется. Я поговорю с ней — и сразу уйду. Я вам обещаю

— Он обещает! Пришел среди ночи — а я ему девушек ищи! Говорю тебе — нет у меня никаких девушек и не было отродясь.

— Я не уйду.

Старуха постояла молча напротив него, а потом сплюнула прямо на пол.

— Чтоб ты сдох!

Она подошла к входной двери, закрыла ее, еще раз посмотрела на него и, наконец, исчезла в другой комнате.

Вскоре он потерял ощущение времени. Иногда ему казалось, что минуты летят стремительным потоком и вот уже скоро за окнами начнет светать, а потом его взгляд вдруг останавливался на мухе, которая ползала по краю стола, и тогда ему казалось, что проходит целая вечность, пока муха переберется от одного узора на скатерти до другого.

Старуха в своей комнате еще некоторое время шуршала чем-то, но потом затихла, и весь дом погрузился в полную тишину. Виктор с онемевшей от неподвижности спиной продолжал сидеть на табурете. Часы у него на руке показывали половину второго.

Около трех часов он задремал. Ему даже начал сниться какой-то сон, но он вдруг пошевелился и едва не упал на пол. Спина у него совсем затекла.

Стараясь двигаться абсолютно бесшумно, он с трудом встал с табурета и перебрался на огромный топчан. Свет он оставил включенным.

Из сна его выбросило мощным толчком. В комнате было темно. Прямо напротив него стояла в чем-то длинном и белом старуха.

— Вы что? — прошептал Виктор, чувствуя, как по спине у него побежал озноб.

Старуха не отвечала. Раздвинув руки и подняв к потолку незрячее лицо с широко открытыми, но лишенными зрачков глазами, она двигалась прямо к нему.

— Вам чего? — задыхаясь, прошептал Виктор.

Старуха продолжала медленно приближаться. Подойдя совсем близко, она протянула руки и стала на ощупь искать скрючившегося на топчане Виктора.

Некоторое время он молча уклонялся от ее рук, отодвигаясь все дальше к стене, но, когда места уже совсем не осталось, он попытался нырнуть ей под локоть. С невероятным проворством старуха поймала его за волосы и начала сильно тянуть к себе. Несколько секунд в полном молчании он пытался освободиться от ее хватки. Чем дольше она тянула его за волосы, тем острее он ощущал, как силы покидают его. Он даже представить себе не мог, что старуха окажется такой сильной. Изнемогая от боли, он вдруг почувствовал, как ее вторая рука легла ему на лицо. Через секунду он уже не мог дышать. В ужасе Виктор изогнулся всем телом. Задыхаясь, он впился зубами в ее ладонь и из последних сил попытался вырваться из рук старухи. На мгновение ее хватка ослабла. Он еще сильнее сжал зубы и почувствовал, как что-то хрустнуло у нее в руке. Старуха по-прежнему не издавала ни звука.

Последним усилием Виктор рванул ее на себя, и они оба покатились на пол. Освободившись от ее рук, он как сумасшедший начал бить ее кулаками. Дикий зверь, который проснулся в нем, наслаждался этой накатившей волной ярости и заставлял его наносить удары по чужому хрупкому телу все сильней и сильней. Наконец он схватил ее за горло и сжал его изо всех сил. Свет луны, падавший из окна, освещал ее мертвеющее лицо.

Наконец она захрипела, и откуда-то из-подо лба у нее выкатились зрачки. Лицо ее вздрогнуло и вдруг изменилось.

Не веря своим глазам, Виктор смотрел на то, как старуха превращается в ту девушку, которую он так долго искал. Перед ним было самое красивое лицо из всех, какие он видел.

— Хома, — прошептала она. — Поцелуй меня.

Голова у него закружилась, он склонился к ней и припал губами к ее губам, понимая, что гибнет навеки.

— Теперь ты мой, — еле слышно шепнула она. — Еще раз.

Он снова прильнул к ней долгим поцелуем, пока не ощутил, как прямо под сердце между ребер в него входит нож.

* * *

Сознание вернулось к нему как вспышка.

— Тихо! Тихо! — говорил ему бородатый человек в пятнистом комбинезоне, пока он лихорадочно хватал себя за грудь. — Сказився?

— Где это? Где? — лихорадочно повторял Виктор, пытаясь найти рану.

— Та що где? Що тоби надо? Що ты хлопочешь?

Поняв, что никакой раны на груди у него нет, Виктор перестал рваться из его рук и в изумлении посмотрел на человека с густой бородой.

— А вы кто? Вы откуда? Старуха где?

— Какая старуха? Вин точно сказився. Немае старух тут, хлопчик. Одни казаки.

Виктор повернул голову, застонал от боли в висках и тут же замолчал. Из комнаты в комнату ходили люди в маскировочных комбинезонах. У каждого за спиной висел автомат Калашникова. На груди у многих были закреплены гранаты.

— Ну шо? Очухавси? — наклонился к Виктору один из них. — Молодец. Если бы не ты, мы бы сюда еще не скоро заглянули. Батько велел благодарность тоби объявить.

— Какой батька?

— Вин еще батьку не видел! Сейчас он сам к тоби подойдет. Эй, хлопци! А ну, покличьте батьку. Вин к бэтээру пошел до рации.

Виктор беспомощно переводил взгляд с одного вооруженного человека на другого. Все они быстро входили и выходили из комнаты.

— Не бойся теперь, — сказал ему тот, который подошел вторым. — Одного здесь не бросим. Будем к Полтаве пробиваться. У нас еще танк есть.

— А где... старуха? — тихо спросил Виктор.

— Далась ему эта старуха, — усмехнулся первый. — Вин про нее уже один раз спрашивал. Не очухавси, видно, до конца еще.

— Очухается.

В этот момент в комнату с улицы вошел высокий коротко стриженный человек лет сорока пяти с седыми усами. На нем тоже была военная форма. Все остальные замерли, когда он вошел.

— Батько, — сказал тот, кого Виктор увидел первым. — Вин очнувси. Только слабый еще.

Высокий человек приблизился к Виктору, осторожно взял его за руку и с чувством пожал ее.

— Спасибо тебе, сынок. Если бы ты нам не позвонил три дня назад, мы бы ничего не узнали.

— Я никому не звонил.

Бородатый покачал головой.

— Я же говорю, батько, вин еще слабый. Заговаривается еще.

— Ничего. Мы тебя, сынок, подлечим. А ты просто полежи пока.

— Я ничего не помню, — еле слышно произнес Виктор. — Я не знаю вас. Где старуха?

— Я понимаю, что тебе тут довелось пережить, — сказал тот, кого называли «батькой». — Три дня пытался ее спасти. Без докторов. Извини, что долго к тебе пробивались. Пришлось двигаться далеко в обход. Кругом минные поля, и еще два раза наткнулись на колонну танков.

— Я не понимаю, — прошептал Виктор.

— Надо же, как его! — сказал бородатый. — Начисто память отшибло.

— А чего ты хотел? — ответил ему второй. — Когда б у тоби невеста померла, ты б еще не так горевал.

— Какая невеста? — сказал Виктор.

— От, бедный, — покачал головой бородатый. — Сотника нашего дочь. Панночка. Твоя ж невеста. Два года тому назад в Москве обручились. Еще до войны. Покажь ему фотки, батько.

Высокий расстегнул нагрудный карман и вынул оттуда несколько фотографий. Виктор молча перебирал их одну за другой. По спине у него пробегал озноб. В голове вспышками мелькали обрывки страшной ночи. На каждой фотографии он узнавал себя.

А рядом с ним улыбалась его ночная гостья.

— Красавица она у меня была, — вздохнул высокий. — Но сердце слабое. Врачи еще в детстве сказали — долго не проживет. Хорошо, что тебя встретила. Хоть кого-то успела полюбить.

Он отвернулся, и все остальные в комнате опустили головы.

— Эх, если б не эта танковая колонна! — скрежетнул зубами сотник. — Я бы сам к ней успел.

— Не убивайся, батько, — сказал бородатый. — Что Богом решено, того не изменишь.

— Ладно, собираться пора, — сказал сотник. — Грузите хлопчика в БТР. Если их разведка нас тут засечет, придется уходить с боем.

— Почему с боем? — сказал Виктор. — Что происходит?

— Война, сынок. Война происходит.

— Война? На Украине? Война же в Чечне.

— Да, видимо, туго тебе здесь пришлось. Нет, сынок. Война идет на Украине. Полтора года уже. А в Чечне войны никогда не было.

— Батько, — сказал еще один человек, входя с улицы. — Все готово. Можем уходить.

Виктор посмотрел на того, кто это сказал, и голова у него закружилась. У двери стоял человек, с которым он ехал в поезде из Москвы в Киев. Виктор хотел что-то сказать, но в следующее мгновение его затошнило, и он снова погрузился в темноту.

* * *

— Неужели так ничего и не помните? — говорил ему сидевший рядом с ним в бэтээре человек.

— Вас помню, — слабым голосом отвечал Виктор. — Мы с вами вместе ехали из Москвы.

— Да я вам уже в сотый раз повторяю, что этого не может быть. Поезда на Украине давно не ходят. Я вас спрашиваю совсем о другом. Неужели вы правда не слышали о войне? В Москве ведь, наверное, постоянно в «Новостях» показывают.

— Показывают Чечню.

— Странно. И ничего про войну на Украине?

— Как вас зовут?

— Горобец. Моя фамилия Горобец.

— А где я вас тогда мог раньше видеть?

— Не знаю. Я до войны в семинарии риторику изучал.

— В семинарии? В Киевской?

— Ну да. А в какой же еще?

— Все правильно. В поезде вы тоже говорили, что учились в Киевской семинарии.

— Опять двадцать пять. Говорю вам — поезда на Украине не ходят. Железные дороги взорваны все.

Когда Виктор уставал с ним спорить, он просто закрывал глаза и старался уснуть под мерное покачивание бэтээра. Он говорил себе, что, наверное, все-таки сошел с ума. Но теперь это уже его не пугало. Его больше пугал темный сверток, который лежал недалеко от него. Под тканью легко угадывались очертания человеческого тела.

— А из-за чего у вас идет война? — спрашивал он, понимая, что не уснет.

— Старая история. Православные воюют против католиков.

— А вы кто?

— Мы православные. Воюем за истинного Христа.

— Понятно, — говорил Виктор и удивлялся тому, как странно он сошел с ума.

«Надо было меньше смотреть телевизор», — говорил он себе, стараясь отодвинуться подальше от зловещего свертка.

* * *

— Да не буду я этого делать! — сказал Виктор и вскочил из-за стола.

— Ты сядь, Хома, — сказал ему сотник. — Не горячись. Это не я придумал. Так доченька захотела. Попросила меня еще год назад.

— Сколько раз говорить — меня зовут Виктор!

— Ну, пусть будет Виктор. Только мои-то хлопцы знают тебя как Хому. Дочка про тебя много рассказывала. Сказала мне — как умру, пусть Хома по мне три ночи читает, а больше никого не проси. Так и сказала. А я говорю — да с чего ты взяла, что скоро умрешь? А она смотрит на меня своими глазами темными и говорит — знаю я, тату, знаю.

Сотник замолчал и опустил голову.

— Любила она тебя, — глухо сказал он, не поднимая глаз. — Ты уж не отказывай мне. Мне сейчас отказывать лучше не надо.

Казаки, расположившиеся на хуторе, тоже предупредили Виктора, что сотнику перечить нельзя.

— Расстреляет. Он и так может любого из наших в расход пустить, а сейчас он вообще сам не свой. Так что, Хома, смотри. Это тебе решать.

— Я не Хома!

— Конечно, конечно. Но пуле-то все равно. Что Хоме в лоб влететь, что Виктору.

Понимая, что просто так его не отпустят, Виктор обошел весь хутор в поисках возможности убежать.

— Дурной, — сказал ему Горобец. — Кругом мины-растяжки. Поэтому тебя и не караулит никто. Тут всего-то две тропки. Но их надо знать. Пойдем. Батько велел молитвам тебя научить. Поминальную хоть одну знаешь?

Единственная дорога, по которой на хутор прошел БТР, была перекрыта двумя пулеметными гнездами. В каждом сидели по два казака. Когда Виктор и Горобец проходили мимо, один из них, совсем молодой, еще без усов, шепнул что-то на ухо другому. Тот покосился на Виктора и мрачно покачал головой.

— А даже если проскочишь, — продолжал Горобец, — все равно тебя западные поймают. У них на всех дорогах стоят патрули. Рассказать тебе, что они делают с пленными?

— А почему эти за пулеметом так смотрят на меня?

Горобец обернулся.

— Эти? Да они тебя жалеют.

— Жалеют? Почему?

— Потому что дочка у сотника была ведьма.

Виктор остановился как вкопанный.

— Ведьма?!!

— А ты разве не знал? Мы думали, что ты знаешь. Зачем, по-твоему, сотник держал ее так далеко от себя? Три дня к вам по лесам пробирались.

Виктор в упор смотрел на Горобца и не говорил ни слова.

— Ну, чего ты? — сказал Горобец. — А ты думал — она просто так там жила?

— Я ничего не думал. Я ее до вчерашнего дня даже не знал.

— Брешешь.

— Только во сне видел.

— А фотки?

— Не знаю — откуда они взялись.

— Да она про тебя уже целый год всем рассказывала. Еще до Ковтуна.

— До какого Ковтуна?

Горобец помрачнел.

— Да был тут у нас один. Фамилия Явтух, а прозвище было Ковтун.

— И что с ним случилось?

— Лучше тебе не знать. Пойдем, я тебя молитвам научить должен. Скоро стемнеет. Гроб в церковь понесем.

Виктор сделал шаг вперед и вплотную приблизился к Горобцу.

— Нет, ты мне расскажи.

— Да чего там рассказывать? Справный был казак. Теперь нету. Вернее, есть, но уже вроде и не казак. Сотник дочку из-за него с хутора отселил. За других казаков боялся.

— Да что с ним случилось? Толком можешь сказать?

Горобец покосился на казаков в пулеметном гнезде и украдкой перекрестился.

— Не надо бы к ночи... Но так и быть. Тем более — кому про это знать надо, как не тебе.

Он еще раз перекрестился.

— В общем, Ковтун этот начал сохнуть по ней. Девка красивая. На других хуторах таких днем с огнем. Только нам-то про ее красоту все известно было. А вот Ковтун сдуру на все разговоры рукой махнул. Как привязанный за ней везде таскался. А потом странный немного стал. Задумчивый. Сидит целый день в углу, автомат чистит. Никому слова не говорит. Как-то ночью пошел еще с тремя в караул, да всех положил из автомата. Полдня кровь со стен отмывали. А сам исчез. Как будто и не было его. Отправили за ним в лес пять человек — ни один не вернулся. И, главное, выстрелов не слыхать. Потом нашли их. Он их по деревьям развесил. Все без голов, и руки-ноги до костей изорваны. Как будто зубами их грыз. И пуля его не берет. Иногда днем вон там на горе показывается. Стоит вон на той опушке, сверху на хутор смотрит. Снайпера сколько раз били. Только вздрагивает. В бинокль видно — аж мясо от него летит. Постоит-постоит, потом развернется и в лес уходит. Так что я бы на твоем месте туда убегать не спешил.

— А в хутор он не спускается?

— Иногда по ночам. Бабы говорят — видели, как он в окна заглядывает. Но в хату войти ему силы нет. Образа у дверей стоят и у окон. Не знаю, чего он ищет. Может, панночку свою ждет.

Виктор поежился от озноба.

— Ладно, пойдем, — сказал Горобец. — Молитвам тебя научу. Без них твое пропащее дело.

Вечером гроб для панночки был готов. Стоя рядом с ним, Виктор старался не смотреть на лицо покойной. Казаки положили гроб на автоматы и понесли в церковь. Было уже темно.

— Отмоли мне дочь, — сказал сотник, оставшись с Виктором наедине. — Сумеешь — до конца жизни богатым будешь.

— Я в банке работаю.

— Тогда просто так отмоли. Я тебя за это живым оставлю.

Дверь за ним со скрипом захлопнулась. Виктор слышал, как снаружи на нее повесили замок. Он постоял, не оборачиваясь, еще минуту, потом неумело перекрестился и посмотрел туда, где поставили гроб. В церкви было темно и тихо.

* * *

Сначала все шло хорошо. Он монотонно читал из огромной книги, которую дал ему Горобец. Слова для него были совсем чужие, но он старательно выговаривал их в гулкую пустоту церкви. Эхо разносило его голос по всем уголкам.

«Главное — не смотреть туда, — билось у него в голове. — И не выходить из круга».

Свеча, стоявшая перед ним, освещала только небольшой клочок пространства вокруг него и неровно очерченный мелом круг.

— Что хочешь делай, но не переставай читать, — шепнул ему перед уходом Горобец. — Что бы ни случилось. И не перешагивай круг.

Иногда он поднимал глаза от освещенных страниц и озирался, стараясь не смотреть в **ту** сторону. Пламя свечи колебалось. На стенах дрожали тени. Стояла мертвая тишина.

Внезапно он ощутил, что он не один в церкви. Кто-то был рядом. И этот кто-то смотрел на него. Замирая от ужаса, он повернулся в сторону гроба и с облегчением увидел, что панночка спокойно лежит на своем месте. Он перевел дыхание.

«Нельзя останавливаться, — мелькнуло у него в голове. — Надо читать».

Он опустил глаза на книгу и замер от ужаса, потому что отчетливо услышал шорох в дальнем углу. Он снова взглянул на гроб — панночка была неподвижна. Шорох раздавался совсем с другой стороны.

«Нельзя останавливаться».

Не прерывая дыхания, он продолжал все громче произносить слова из книги. Он надеялся, что громкие звуки развеют его страх. Еще через несколько секунд шорох повторился. Теперь уже ближе. Кто-то стоял прямо напротив него. Сразу за границей света.

Виктор прикрыл глаза от света рукой и вглядедся в темноту. Там был человек. Мужчина в военной форме.

«Это же кто-то из казаков! — подумал он. — Слава Богу, хоть один из них остался».

Не в силах сдержать радости, он шагнул через круг, но темная фигура тут же отступила.

— Эй, — сказал Виктор. — Это ты, Горобец? Решил со мной посидеть? Иди сюда. Вдвоем не так страшно.

Человек перед ним молча сделал еще шаг назад.

— Куда ты? Иди сюда.

Виктор двинулся к нему. Человек отступил к самой стене и опустился на низенькую скамейку.

Виктор подошел к нему вплотную и попытался разглядеть его лицо. Человек сидел, опустив голову.

— Горобец, это ты?

Человек начал медленно поднимать голову, и Виктор в ужасе отшатнулся. Вместо лица он увидел кровавую маску.

— Иди читай, — сказал тот, кто сидел перед ним, с трудом разлепив губы. — Сейчас встанет.

Не чувствуя ног, Виктор начал отступать назад. Боковым зрением он уже видел, что гроб был пуст.

— Не выходи за круг, слышишь? — прошелестел мертвый голос у самой стены. — Не выходи оттуда.

До меловой черты оставался всего один шаг.

— Витька, — раздался вдруг сзади детский голос. — Витька-дурак. Иди играть с нами.

Он обернулся. Перед ним стояли двое мальчишек лет десяти. Павлик и Лешка.

— Иди к нам.

Последним усилием воли он сделал еще один шаг и переступил через черту.

— Вас уже нет, — прошептал он. — Вы утонули.

— Ну и что? Иди — поиграем.

Они сорвались с места и убежали в темноту. Виктор слышал, как они бегают и смеются.

— Витька-дурак.

Он опустил глаза в книгу и, почти выкрикивая, начал читать. Через мгновение в церкви все стихло. Он перевел дыхание и решил больше никуда не смотреть. Чего бы это ни стоило.

В следующее мгновение он с ужасом осознал, что произносит совсем не то, что написано в книге.

— Ну как ты читаешь? — сказал кто-то слева от него.

Виктор повернул голову и увидел, что рядом с ним стоит Горобец.

— Я же тебе говорил — слово в слово читай, а ты все буквы наоборот переставил. Дай сюда книгу.

Виктор взял книгу и послушно протянул ее Горобцу.

— Ближе подойди. Чего ты ее оттуда мне тянешь?

Виктор опустил взгляд на пол и увидел, что сапоги Горобца стоят ровно на самой черте.

— Ну, давай. Чего ты?

Виктор замер, потом положил книгу назад.

— Сдохнешь здесь! — закричал Горобец на всю церковь и исчез в темноте.

Больше Виктор головы от книги не поднимал. Он слышал, как вокруг него ходили люди, звали его знакомыми и незнакомыми голосами, умоляли посмотреть на них, плакали, но он головы от книги не поднимал. Только кричал все громче и громче, пока под утро уже не начал хрипеть.

За полчаса до рассвета все стихло. Виктор перешел на шепот. В горле у него першило, но он боялся остановиться, поэтому иногда заходился в приступе кашля, и все-таки не переставал читать.

Когда тишина простояла минут двадцать, и Виктор подумал, что все позади, он на мгновение приостановился и поднял глаза. В полуметре от него у самой черты неподвижно стояла панночка. Не отрываясь, она смотрела прямо ему в лицо.

— Еще две ночи, Хома, — прошептала она. — Две ночи.

В этот момент закричал петух. Панночка погрозила Виктору пальцем и медленно вернулась в свой гроб.

* * *

— Это Ковтун был, — сказал Горобец, вставая из-за стола. — А вы чего здесь расселись? Нечем заняться?

— Ну, интересно же, — протянул один из казаков, набившихся в хату, чтобы послушать Виктора.

— Иди посты проверяй, — велел ему Горобец. — Устроили вечер воспоминаний. А ну, все поднялись и освободили помещение.

Когда казаки, позвякивая оружием, вышли из хаты, Горобец повернулся к Виктору.

— Ковтун к тебе приходил. Это точно. Непонятно только — почему он тебе помог. Видно, панночка ему трогать тебя не велела. Ты ей самой нужен.

— Спасибо на добром слове, — с трудом проговорил Виктор.

— А может, ты ей чем-нибудь насолил?

— Не знаю. Я вообще ничего не знаю.

Горобец некоторое время молча смотрел на его склоненную голову. Потом вздохнул и сказал задумчиво:

— А ты весь поседел. Надо же, вся голова седая.

* * *

На этот раз Ковтун появился почти сразу. Как только казаки заперли дверь, Виктор почувствовал, что он опять не один в церкви. В дальнем углу зашелестело, потом послышались медленные шаги, и Виктор затаил дыхание, ощутив, что на него смотрят почти в упор. Не поднимая головы, он начал читать. Слова срывались у него с губ и тут же затихали, растворяясь в обступившей его тишине.

— Сейчас, — сказал Ковтун.

В следующее мгновение Виктор зажмурил глаза от яркого света, который внезапно залил всю церковь. Сотни свечей, вспыхнув, осветили даже самые дальние уголки. Крышка гроба с треском отлетела вверх, как будто изнутри по ней ударила страшная, бесконечно долго сдерживаемая сила.

Виктор пригнулся еще ниже и стал лихорадочно произносить слова, смысла которых он уже совсем не понимал. По церкви пошла волна. Воздух как будто вздрогнул и загудел, сгущаясь вокруг него. Со стен посыпалась лепнина, куски штукатурки, церковные украшения. Все это летело в его сторону, осыпая его градом ударов.

Он закрывал голову руками и продолжал читать. Внезапно все стихло.

Гроб с лежащей в нем панночкой медленно поднялся со своего места и начал плавными кругами уходить вверх. Через секунду он исчез в темноте где-то под самым куполом.

Вдруг раздался оглушительный удар, и все двери разом вылетели, как от мощного взрыва. В окна полился ослепительный свет. Еще секунда — и в церковь хлынул поток закутанных в темные балахоны фигур. Их лица были закрыты тяжелыми капюшонами. Виктор, срывая голос, продолжал читать.

Когда фигуры в балахонах наконец замерли, ему показалось, что откуда-то доносится слабое пение. Оно было так прекрасно, что у Виктора перехватило дыхание. Никогда в жизни он не слышал такой музыки. Пение усилилось, и он понял, что поют обступившие его фигуры. Внезапно они снова пришли в движение. Продолжая петь, они дали проход чему-то, что должно было появиться из центральной двери.

Взглянув украдкой на распахнутую дверь, Виктор подумал, что мог бы броситься и убежать из проклятой церкви, но тут же отказался от этой мысли и продолжал читать. Он понял, что не знает, какие ужасы могли скрывать под собой грубые балахоны.

В это время голоса поющих достигли полной силы, и ему стало трудно дышать. Слезы необъяснимого восторга душили его, и несколько раз его собственный голос едва не сорвался в рыдание.

Наконец в проеме центральной двери показалась новая фигура. На ней не было балахона. На ней вообще не было ничего. В церковь на огромном черном коне въехала обнаженная панночка.

Ее конь, потряхивая гривой, медленно переступил через церковный порог и двинулся по проходу между поющих фигур. Проход упирался в круг, начерченный на полу вокруг Виктора.

Сначала он не заметил появления панночки, потому что старался совладать с собой и с охватившим его неясным восторгом, причиной которого была волшебная музыка. Он старался сосредоточиться на словах, которые произносил, но вдруг понял, что поет их вместе с таинственным хором. Испугавшись, он тут же запнулся и невольно оторвал взгляд от страницы.

Вернуться к ней он уже не смог.

Медленным шагом конь панночки надвигался прямо на него. Склонившись к голове своего коня, она улыбалась и смотрела Виктору прямо в глаза. Ему показалось, что она смотрит ему в сердце.

Конь остановился у самой черты, и панночка плавно соскользнула на пол. Пение оборвалось. Фигуры замерли на мгновение, и потом с каждой из них, так же плавно, как панночка с коня, на пол соскользнул балахон.

Церковь озарилась сиянием нагих тел. Виктор стоял в окружении самых прекрасных девушек, каких он когда-либо видел.

— Иди сюда, — сказала панночка, опускаясь перед ним на огромное покрывало. — Ночь коротка.

Глядя ему прямо в глаза, она медленно погладила рукой живот.

Забыв о книге, он зачарованно смотрел на то, как скользит по телу ее рука.

— Не успеешь, — шепнула она.

Виктор сделал шаг. Потом еще один. Потом еще. Переступив черту, он медленно опустился рядом с ней на покрывало.

— Теперь ты мой.

Она приподнялась на локте. Виктор начал склоняться к ней.

В это мгновение какая-то страшная сила бросила его назад, едва не оторвав ему руку.

— Ковтун! — диким голосом закричала панночка, тотчас оказавшись на ногах.

Между нею и Виктором стоял казак-оборотень. Он глухо рычал, продолжая держать Виктора за руку. От мертвой хватки Ковтуна Виктора с ног до головы пронзила нестерпимая боль.

— Ковтун! — снова закричала панночка.

Размахнувшись, она, как тигрица лапой, ударила оборотня по горлу, одним движением снеся ему голову с плеч.

Безголовый Ковтун еще несколько секунд, покачиваясь, простоял перед панночкой, потом хватка его разжалась, он рухнул на колени и, наконец, упал прямо вперед. Кровь из его горла хлынула на покрывало.

Виктор в ужасе сделал шаг назад и переступил границу круга. Панночка, как дикая кошка, развернулась к нему и зашипела, так что у него мороз побежал по коже.

— Иди ко мне, Хома! — шипела она. — Иди сюда!

Виктор, спотыкаясь, бросился к книге. Он вцепился в нее, как утопающий в безбрежном ночном океане цепляется за жалкий спасательный круг.

До самого утра он больше от книги не оторвался.

* * *

Наутро Виктор казакам рассказывать ничего не стал. Не захотел.

— Можете сами со мной сегодня ночью в церковь пойти, — сказал он. — Кто смелый.

Потом помолчал и добавил:

— Хохлы.

В час дня ему приснилось, что он убежал. А может, это было не в час дня. Может быть, в два. Потому что трудно во сне понять — сколько сейчас времени на той стороне. Там, где не спят. Где ходят вокруг тебя и звенят посудой. И чистят картошку. И хлопают кого-то по заднице. И этот кто-то смеется и говорит громко: «А вот я сейчас пойду и все своему мужу скажу». Но недостаточно громко, чтобы тебя разбудить. Потому что ты очень устал.

Так, как не уставал никогда в жизни.

И теперь бежишь, с неимоверным трудом отрывая ноги от земли. Как будто это не ноги, а телеграфные столбы. И тот, кто их вкопал, умер уже лет сто пятьдесят назад. Если тогда был телеграф. Скорее всего не было.

Но ты все равно бежишь. Переставляя ноги. Потому что — к черту этих казаков. И церковь их тоже туда. И сотника. И его дочку.

Смотришь — а там впереди поле. Или, вернее, не смотришь, а просто знаешь. И даже не впереди, а уже под тобой, и ты где-то посередине. Осталось двадцать шагов. Там наши. Кричат — давай, давай, немного еще. Машут руками. И форма такая странная. Но ты знаешь, что они русские. Потому что солдаты. И у них есть свой БТР. А сзади уже начинают лететь мины. Свистят в воздухе, и потом — бум! И еще раз. И ты удивляешься, потому что в хуторе не было миномета. Но бежать остается всего ничего. А потом — полная тишина.

И над всем полем откуда-то сзади оглушительный шепот: «Хома...»

Ты оборачиваешься и видишь ее. Но оборачиваешься очень долго.

Она шепчет: «Не уходи». Она далеко, но ты все равно слышишь. И видишь. Потому что она плачет, и ты никогда в жизни не видел такого печального лица.

И такого красивого.

Позади нее в лесу появляется что-то темное. Как туман, но страшнее. Очень страшное. Струится оттуда, обхватывает ее, уносит назад — в темноту.

«Не уходи...»

И ты просыпаешься. Потому что терпеть это больше просто нет сил.

* * *

— А может, тебе автомат дать? — сказал один из казаков, когда они вышли из хаты и направились в сторону церкви. — Покроши их там всех в капусту. У меня безотказный. Я тебе еще пару лишних рожков дам.

— Дурак ты, — сказал ему Горобец. — Где же ты видел, чтобы ведьму из автомата били?

Но Виктор не слушал их. Он уже никого не слушал.

Все началось почти сразу. Пол в церкви вздрогнул, треснули плиты, и из-под земли начали появляться руки, плечи и черепа. Через секунду вокруг стоял дикий вой. Церковь гудела от крика.

Со стен осыпались какие-то твари, переплетались щупальца. Чудовища сталкивались в бешеном круговороте и рвали друг друга на части. Повсюду летели куски плоти, на стены брызгами разлеталась кровь.

Виктор чувствовал, что вся эта свистопляска с каждой минутой все теснее стягивается к нему. Но он не испытывал страха. Он вообще не испытывал ничего. Просто читал из книги. Перелистывал страницы и монотонно произносил слова.

Потому что ему было все равно. Он знал, что это неважно. Самое важное должно было произойти потом. Позже. Гораздо позже.

Он сам не понимал — откуда он это знает, но чувствовал, что это связано с его сном.

С тем, что на глазах у нее были слезы.

Гроб оставался неподвижным почти до утра. Наконец небо за окнами стало серым, и Виктор понял, что все произойдет сейчас.

Со страшным визгом панночка вылетела из гроба и стала носиться в воздухе прямо у него над головой. Она пролетала на огромной скорости мимо него, кричала что-то совсем непонятное, исчезала под куполом и тут же камнем падала вниз. Чудовища по всей церкви стали бросаться на стены, разбиваясь о них и пожирая друг друга.

Неожиданно панночка замерла, уставилась на Виктора белыми невидящими глазами и закричала безумным голосом:

— Позовите Вия!

Все остановилось на секунду, потом шевельнулось и застонало от ужаса. Виктор чувствовал, как от всех этих тварей на него хлынула волна страха. Он вдруг понял, что они боятся больше, чем он.

В окна, в щели под дверью заструился черный туман. Из каждой дыры в церковь начала просачиваться темнота. Черная, абсолютно непроницаемая для взгляда.

Тонкими вихрями она заклубилась сначала на полу, а потом стала подниматься все выше. В попытках спастись от нее твари, переполнявшие церковь, сбивались в кучи и жались по стенам, но она проглатывала их одного за другим, заливая густой чернотой все, кроме того круга, в котором стоял Виктор. Панночка металась где-то вверху, и он теперь отчетливо слышал в ее крике только ужас. В церковь вошел страх.

Внезапно панночка упала вниз и погрузилась в черную тьму почти до подбородка. Она выгнулась изо всех сил, стараясь удержать лицо над поверхностью колышущейся темноты. Черные языки коснулись ее щек и побежали к вискам. Панночка вздрогнула, повернулась к Виктору и закричала.

От ее крика у него замерло сердце. Он даже представить себе не мог, что человеческий голос может вместить столько боли.

Виктор поднял голову. Панночка смотрела прямо на него. В ее глазах была написана страшная мука.

Он помедлил секунду, потом сделал шаг вперед, нашел ее руку и резко рванул ее на себя. В следующее мгновение они оба стояли в светящемся круге.

Панночка обхватила его руками, прижавшись к нему и вцепившись ногтями ему в спину. От неожиданной боли он застонал.

Она сжимала его железным объятием. Тело ее ходило ходуном. У него едва хватало сил, чтобы устоять на ногах. Голова шла кругом.

Столб света, в котором они раскачивались от ее лихорадочной дрожи, упирался уже в самый купол. Все остальное поглотил беспросветный мрак.

Как только тьма коснулась потолка церкви, панночка вытянулась как струна, еще сильнее прижалась к Виктору и выдавила из себя три слова:

— Не смотри туда.

Он зажмурился, и в этот момент далеко в хуторе прокричал петух.

В одно мгновение тьма опала. В церкви воцарилась полная тишина.

Сдерживая дыхание, Виктор почувствовал, как страшное объятие панночки слабеет. Она тихо опустила голову ему на плечо. Сердце его билось как колокол.

— Спасибо, — еле слышно шепнула она.

Он хотел опустить ее на пол, но она опять вздрогнула, и он ясно увидел струящийся свет. Луч падал на ее голову.

— Прощай, Хома, — прошептала панночка. — Отпускаю тебя.

Ее тело безжизненно повисло у него на руках, он покачнулся, и они оба опустились на разбитые плиты пола.

* * *

Сознание возвращалось к нему постепенно. Первый раз он пришел в себя от того, что рядом пели. Он открыл глаза и увидел небо, которое покачивалось и уплывало назад. Пели негромко.

Виктор слегка повернул голову и увидел верхушки деревьев. Они тоже покачивались, двигаясь куда-то вбок. В голове у него ритмично стучало. Потом кто-то сказал: «Тпру!», и деревья остановились. Стучать в голове перестало. Пахло сеном. Виктор закрыл глаза и снова провалился в беспамятство.

В следующий раз он очнулся на каком-то большом сундуке. В комнате ходили люди. Кто-то смеялся. Рядом стоял мальчик лет четырех. Он грыз огромное красное яблоко и смотрел на Виктора. Было жарко. Виктор пошевелился, чтобы столкнуть с себя чей-то овчинный тулуп, и снова потерял сознание.

Потом был раскачивающийся вагон. Кто-то поднимал Виктору голову и поил его горьким чаем. В купе заходили какие-то люди. Виктор их не узнавал.

* * *

— Гражданин! — кто-то тряс его за плечо. — Гражданин, здесь лежать не положено.

Виктор поднял голову, опустил ноги со скамейки и посмотрел вокруг. Он сидел на привокзальной площади. Перед ним стоял милиционер.

— Документы, пожалуйста.

Виктор машинально достал паспорт.

— Где мы?

Милиционер посмотрел на него с усмешкой:

— Мы в Киеве. А вы — я не знаю где.

Он перелистал паспорт и протянул его Виктору.

— Ночка у вас, видно, была — будь здоров.

— Что?

Виктор непонимающе уставился на него.

— Ночь, говорю, у вас была тяжелая.

— Да, — сказал Виктор. — И не одна.

На афишной тумбе прямо напротив него был наклеен огромный плакат.

Андрій Шевченко

Динамо (Київ) — Милан (Италия)

15 сентября

Виктор медленно перевел взгляд с афиши на милиционера.

— Футбол, что ли?

— Да, — милиционер радостно улыбнулся. — Еле билеты достал. Завтра на республиканском стадионе.

— Так война же. Как они приедут сюда?

Милиционер уставился на него в изумлении.

— Какая война?

Виктор посмотрел вокруг. На скамейках сидели люди в ярких футболках. Неподалеку продавались цветы. Бегали дети.

— Кончилась уже?

— Что кончилось?

— Война.

Взгляд милиционера изменился.

— Может, вам «Скорую» вызвать? Вы как себя чувствуете?

Виктор вздохнул и помотал головой.

— Нет, все нормально. Извините, я просто оговорился. Скажите, во сколько ближайший поезд в Москву?

— Это вам в справочную. Милиция справок не дает.

— Да, да, спасибо. Извините меня.

Он встал со скамейки и, чуть покачнувшись, пошел к вокзалу. Из-под ног у него с шумом вспорхнула стая голубей.

СОДЕРЖАНИЕ

Все права защищены. Книга или любая ее часть не может быть скопирована, воспроизведена в электронной или механической форме, в виде фотокопии, записи в память ЭВМ, репродукции или каким-либо иным способом, а также использована в любой информационной системе без получения разрешения от издателя. Копирование, воспроизведение и иное использование книги или ее части без согласия издателя является незаконным и влечет уголовную, административную и гражданскую ответственность.

Литературно-художественное издание

СЕКРЕТЫ РУССКОЙ ДУШИ
Проза Андрея Геласимова

Геласимов Андрей Валерьевич

ДЕСЯТЬ ИСТОРИЙ О ЛЮБВИ

Ответственный редактор *О. Аминова*
Младший редактор *А. Семенова*
Художественный редактор *А. Сауков*
Технический редактор *Г. Романова*
Компьютерная верстка *Л. Панина*
Корректор *М. Козлова*

ООО «Издательство «Э»
123308, Москва, ул. Зорге, д. 1. Тел. 8 (495) 411-66-86; 8 (495) 956-39-21.

Өндіруші: «Э» АҚБ Баспасы, 123308, Мәскеу, Ресей, Зорге көшесі, 1 үй.
Тел. 8 (495) 411-68-86; 8 (495) 956-39-21.
Тауар белгісі: «Э»
Қазақстан Республикасында дистрибьютор және өнім бойынша арыз-талаптарды қабылдаушының өкілі «РДЦ-Алматы» ЖШС, Алматы қ., Домбровский көш., 3«а», литер Б, офис 1.
Тел.: 8 (727) 251-59-89/90/91/92, факс: 8 (727) 251 58 12 вн. 107.
Өнімнің жарамдылық мерзімі шектелмеген.
Сертификация туралы ақпарат сайтта Өндіруші «Э»

Сведения о подтверждении соответствия издания согласно законодательству РФ о техническом регулировании можно получить на сайте Издательства «Э»

Өндірген мемлекет: Ресей
Сертификация қарастырылмаған

Подписано в печать 25.09.2015. Формат 80x100 $^1/_{32}$.
Гарнитура «Опиум». Печать офсетная. Усл. печ. л. 13,33.
Тираж 10 000 экз. Заказ 7425.

Отпечатано с готовых файлов заказчика
в АО «Первая Образцовая типография»,
филиал «УЛЬЯНОВСКИЙ ДОМ ПЕЧАТИ»
432980, г. Ульяновск, ул. Гончарова, 14

В электронном виде книги издательства вы можете купить на www.litres.ru

ЛитРес:
один клик до книг

Оптовая торговля книгами Издательства «Э»:
142700, Московская обл., Ленинский р-н, г. Видное,
Белокаменное ш., д. 1, многоканальный тел.: 411-50-74.

По вопросам приобретения книг Издательства «Э» зарубежными оптовыми покупателями обращаться в отдел зарубежных продаж
International Sales: International wholesale customers should contact Foreign Sales Department for their orders.

По вопросам заказа книг корпоративным клиентам, в том числе в специальном оформлении, *обращаться по тел.: +7 (495) 411-68-59, доб. 2115/2117/2118; 411-68-99, доб. 2762/1234.*

Оптовая торговля бумажно-беловыми и канцелярскими товарами для школы и офиса:
142702, Московская обл., Ленинский р-н, г. Видное-2,
Белокаменное ш., д. 1, а/я 5. Тел./факс: +7 (495) 745-28-87 (многоканальный).

Полный ассортимент книг издательства для оптовых покупателей:
В Санкт-Петербурге: ООО СЗКО, пр-т Обуховской Обороны, д. 84Е.
Тел.: (812) 365-46-03/04.

В Нижнем Новгороде: 603094, г. Нижний Новгород, ул. Карпинского, д. 29, бизнес-парк «Грин Плаза». Тел.: (831) 216-15-91 (92/93/94).

В Ростове-на-Дону: ООО «РДЦ-Ростов», пр. Стачки, 243А.
Тел.: (863) 220-19-34.

В Самаре: ООО «РДЦ-Самара», пр-т Кирова, д. 75/1, литера «Е».
Тел.: (846) 269-66-70.

В Екатеринбурге: ООО«РДЦ-Екатеринбург», ул. Прибалтийская, д. 24а.
Тел.: +7 (343) 272-72-01/02/03/04/05/06/07/08.

В Новосибирске: ООО «РДЦ-Новосибирск», Комбинатский пер., д. 3.
Тел.: +7 (383) 289-91-42.

В Киеве: ООО «Форс Украина», г. Киев,пр. Московский, 9 БЦ «Форум».
Тел.: +38-044-2909944.

Полный ассортимент продукции Издательства «Э» можно приобрести в магазинах «Новый книжный» и «Читай-город».
Телефон единой справочной: 8 (800) 444-8-444.
Звонок по России бесплатный.

В Санкт-Петербурге: в магазине «Парк Культуры и Чтения БУКВОЕД»,
Невский пр-т, д.46. Тел.: +7(812)601-0-601, www.bookvoed.ru/

Розничная продажа книг с доставкой по всему миру.
Тел.: +7 (495) 745-89-14.

ISBN 978-5-699-83869-1

ИНТЕРНЕТ-МАГАЗИН

АНДРЕЙ БЫЧКОВ

НА ЗОЛОТЫХ ДОЖДЯХ

Человек – вертикаль, направленная вверх до бесконечности и вниз до бесконечности.

Юрий Мамлеев

Любовь Вальдемара и Василисы трагична: они – дальние родственники и по законам морали не могут быть вместе. Но это в реальности. А в метафизическом пространстве возможно все! Вальдемар строит великую и всемогущую Машину Любви, чтобы с ее помощью изменить мир...

Самый дерзкий и провокационный роман десятилетия!

Андрей Бычков окончил физический факультет МГУ и Высшие курсы сценаристов и режиссеров. Кандидат физико-математических наук, учился на гештальттерапевта в Московском Гештальт Институте.

Автор восьми книг прозы, изданных в России, и пяти книг прозы, изданных на Западе. Сценарий Бычкова «Нанкинский пейзаж» получил «Приз Эйзенштейна» немецкой кинокомпании «Гемини-фильм», приз Гильдии сценаристов России и Специальный приз Международного Ялтинского кинорынка, а одноименный фильм Валерия Рубинчика получил еще три международные премии. Бычков – лауреат премии «Нонконформизм 2014», финалист премий «Антибукер». Номинант Премии Андрея Белого.

Его пьеса «Репертуар» идет на Бродвее.

2014-323

Виктор Пелевин

ПОЛНОЕ СОБРАНИЕ СОЧИНЕНИЙ

История создания этого собрания сочинений Виктора Пелевина такова: примерно год тому назад мы в редакции задумались о том, что до сих пор никто не издавал полного собрания сочинений одного из самых читаемых авторов современности. Решив восполнить этот пробел, сначала придумали издавать академическое — с комментариями, предисловиями и послесловиями, — но автор эту идею отверг. Тогда появилась другая идея — провести в Интернете конкурс для художников на лучшие иллюстрации его книг. В результате состязания, в котором участвовали как очень молодые (рожденные в середине девяностых), так и маститые взрослые мастера, у нас получилось около ста победителей, работы которых эксклюзивно украсили страницы томов этого собрания...

ВПЕРВЫЕ – ПОЛНОЕ ИЛЛЮСТРИРОВАННОЕ СОБРАНИЕ СОЧИНЕНИЙ ВИКТОРА ПЕЛЕВИНА!

16 ТОМОВ КАЧЕСТВЕННОЙ ПРОВЕРЕННОЙ ВРЕМЕНЕМ ПРОЗЫ!

2014-315

БОЛЬШАЯ ЛИТЕРАТУРА

КНИГИ
Юрия БУЙДЫ

Книги
оформлены картинами
пражского художника Eugene Ivanov

ИНТЕЛЛЕКТУАЛЬНАЯ БЕЛЛЕТРИСТИКА

Лабиринт непредсказуемых подтекстов для избранных, открытых безграничному разнообразию опытов жизни. Уникальное соединение концептуализма Виктора Пелевина и саговой манерой Людмилы Улицкой!

0000-018